藝　文　叢　刊

畫學講義 外二種

金紹城　著

余雅汝　點校

浙江人民美術出版社

圖書在版編目（CIP）數據

畫學講義：外二種 / 金紹城著；余雅汝點校. --杭州：浙江人民美術出版社，2022.9
（藝文叢刊）
ISBN 978-7-5340-8987-9

Ⅰ.①畫… Ⅱ.①金… ②余… Ⅲ.①金紹城（1878-1926）—繪畫評論②詩集—中國-近現代 Ⅳ.①J212.052②I22

中國版本圖書館CIP數據核字（2016）第148705號

出版説明

金紹城(一八七八—一九二六),又名城,字鞏伯,一字拱北,號北樓,一號藕湖,湖州南潯人。民國初期北方畫壇領袖,有「北平廣大教主」之稱。早年曾留學英國鏗司大學,攻讀法律。歷任上海會審公廨襄讞委員、内務部僉事、衆議院議員、國務院秘書等職。

金氏自幼即嗜丹青,擅臨摹,雖無師承,動筆即深得古人旨趣,山水、花鳥無一不能,兼工篆、隸、鐫刻,旁及古文辭。曾負笈英倫,遍歷美術院、博物館,飽覽西方藝術。交遊廣泛,常與王公親貴、名流碩彦研究名賢遺跡,藝術更爲精進。又提議參照西方模式,創建古物陳列所,該所於一九一四年正式成立,展陳數千年文物精華,對時人影響深遠。一九二〇年春,金氏創辦中國畫學研究會,以『精研古法,博採新知』爲宗旨,從遊者二百餘人,時與交流切磋,傳道授業,致力於國粹的傳承與弘揚。又舉辦中日書畫聯合展覽會,以聯合東方美術,抗衡西洋藝術的衝擊。總之,對於傳統書畫藝術孜孜追求，殷勤建設，不遺餘力。著有《畫學講義》《北樓論畫》《藕廬詩草》等作。

《畫學講義》是中國畫學研究會成立以後，由金氏撰寫的供畫會成員學習的教材，爲金氏畫學思想的全面反映。此書曾分十年連載於《湖社月刊》上，後經于安瀾删繁去蕪，重爲釐定次序，分爲上下兩卷，編入《畫論叢刊》，由中華書局印行。上卷論述了人物、山水、花鳥等類别，介紹了點染、皴擦、勾勒等技法，比較了紙、絹等材料，同時對於孫位、趙孟頫等畫史人物進行品評，甚至還介紹了製緑、製青的方法，基本涵蓋了初學繪畫時遇到的諸種具體問題。下卷則以山水畫爲討論重點，涉及畫學中的一些學理性基本問題，如虚實、生熟、氣韻、意境等，提出「學畫有變有常」「工筆爲畫學常軌」等畫學主張。

《北樓論畫》，又稱《金拱北講演録》，是一九一九年金氏受邀出席北大畫法研究會時的演説記録，後曾刊發於《湖社月刊》第一期。該作從文字與繪畫的關係講起，闡述了中國畫學變革的三個分期，介紹了學畫的三個要素、畫的種類和學畫的程式。篇幅雖短，卻凝聚了金氏三十餘年之心得體悟。

《藕廬詩草》由李汝謙選編，高野侯題簽，朱彊村題端，寶熙及李汝謙作序，由可讀廬刊行於一九二六年。共收録金氏詩歌一百二十餘首，包括紀遊、抒情、詠物及題畫等詩，從中可以一窺金氏的經歷見聞、生平交遊和文學底蘊。尤其題畫詩部分，寄寓了金氏的情感，烘托了繪畫的意境，是其繪畫思想的重要體現。

概而言之，《畫學講義》爲金氏教學論藝，《北樓論畫》爲治藝心得，《藕廬詩草》爲畫外論畫。三者作爲金氏藝術思想的總體呈現，相輔相成，不可割裂，故本次即予以整體出版。在版本上，則以經典和通行爲準則，《畫學講義》選用《畫論叢刊》本、《北樓論畫》選用《湖社月刊》本、《藕廬詩草》選用可讀廬本爲底本，按照現行的規範進行整理，以便讀者全面瞭解金氏的繪畫藝術及其畫學思想。因水準有限，書中訛誤及不足在所難免，懇望讀者批評指正。

目録

畫學講義

上卷

古今人品第畫品，輒左山水而右人物、翎毛、花卉等畫，此以其品格高下言之。若論畫之難易，則繪事之中，當推人物爲最難，次則動物。兹特揭出此兩種畫之難點，約略言之。

人物。今人畫人物，或坐諸石，或倚諸樹，極鮮在屋中者；以人在屋，則殿閣、几案、床榻之屬皆生問題。蓋人物畫大都寫歷史故事，欲寫古昔故事，必考其朝代，方合其屋宇、几席、車騎、服式制度。即以冠服履舄言，漢冠唐巾，袍服直裰，屐屨皂靴，代有變遷，作畫者斷難隨意支配。昔張僧繇畫群公祖二疏圖，而兵士有着芒屩者；閻立本畫昭君圖，婦女有着帷帽者。夫芒屩出於水鄉，非京華所有；帷帽起於隋代，非漢宮所作。以此言之，畫非博古之士，亦不能作也。見華亭何俊良所著《四友齋畫論》。年湮代遠，兹姑弗論，試以近世言。前清上海某畫家繪《時事畫報》，有戴三眼花翎者，一帽綴翎三支，支各一眼，排列於後，世家見之，以爲笑談。又有一事，無關於畫，而與畫類，因連綴而作趣談。三十年前西裝甫行於中國,婦女之西裝者更鮮。有某夫人服西婦裝束,攝影炫世,竟圍其束腰袒衣於禮服之外,西人見之,未有不掩口而葫蘆者。事不詳辨,及時裝束,且有錯誤,貽笑大方,况生今之世,而畫古代衣冠,更非詳加考究不可。今之作歷史畫者,大半以優孟衣冠爲藍本。夫粉墨登場,花面赤髮無論矣,帝皇之冕,滿綴絨球,試觀文華殿新年所懸歷代帝王像,有此裝束乎? 以此類推,焉有是處。然則考究歷史畫法,如何而可? 曰多讀古書以審其制度,多看古畫以辨其裝束,古畫雖亦不無錯誤,而去古未遠,即非目見,耳聞較真。凡作畫者既讀古書,參以古畫,苦心經營,製成一畫,求免微辭,其庶幾乎?

畫人有三訣:其畫身也,寧長勿短;其畫腰也,寧瘦勿肥;其畫臉也,寧尖勿團。總之使其有士夫氣,有隱逸氣,有奇氣,有仙氣,有怪氣,勿使其有俗氣。

陳洪綬畫人面部之長,恒占身部三分之一。驟見以爲怪,審視之,栩栩有仙氣。蓋生人面部,無如是之長者,非神仙中人,即深山中之瞿曇也。

人物最難於開臉,蓋貧富窮通,精神志趣,自將相隱逸,至於輿臺皂隸,無不於臉上分之。嘗見趙承旨畫《蕭翼賺蘭亭圖》,儒冠博帶,面貌静穆,隱隱中含有奇詭之氣,則蕭翼也；眉宇闊大，心志偏僻，自耽禪悦，不求聞達，則智永也。最妙則爲蕭翼旁之二隸：一則搔首斜口，若頭間有不勝其癢者，適足以形其樗柳賤質；一則目瞪舌撟，似知蘭亭之不易賺得者。至於煎茶童子，則又俯首於茶鐺爐灶間，習於日常清課，固不知世間尚有欺詐誘騙之局也。所謂攝神取象，頰上三毫，若當日目睹其事者，嘆觀止矣。

山水中畫人與純畫仕女者不同，最宜簡略，落落四五筆，即衣冠楚楚，神彩奕奕，而山水靈活有生氣矣。文衡山優爲之，至於唐解元、仇實父，則筆墨較工緻，殊不易學；然其繁也，亦從簡中得來。初學宜由衡山入手，毋學石谷。因石谷畫人，市塵習氣過重，苟不善學，易流於俗。衡山畫人，簡明淵雅，真士大夫畫也。

山水中點綴人物，用筆之法，當與山石樹木等相吻合。寫意山水，須點綴寫意人物；工細山水，須點綴工細人物。寫意之人物，略具形態而矣，蓋在神而不在形也；工細之人物，鬚眉清晰，衣衩分明，即藤杖腰絛，亦須工整，始爲妥貼。若寫意山水中人物過於工細，則傷乎神；工細山水中人物過於簡率，則未免潦草矣。此畫中點綴物，所以要注意吻合也。

動物。世界動物之屬，於麟鳳蛟龍不經見者外，舉凡今所能見者，毛羽色澤，嘴臉眼睩，今不異古，觀察標本，按圖索驥，宜若易然。殊不知此乃皮相，而飛鳥宿食，一禽有一禽之姿態，一獸有一獸之形狀，静觀細察，各不相同。昔黄筌畫飛鳥，頸足皆展，或告之飛鳥縮頸則展足，縮足則展頸，無兩展者，驗之信然。見《輟耕録》。又馬正惠嘗得鬥水牛一軸，云厲歸真真跡，甚愛之。一日展曝於書室之外，有輸租莊客立於階下，凝視久之，既而竊哂。公見之，呼問曰：吾藏畫，農夫安得觀而笑之！有説則可，無説則罪。莊客曰：某非知畫者，但識真牛。其鬥也，尾夾於髀間，雖壯夫膂力，不可少開。此畫牛尾舉起，所以笑其失真。見郭若虚所著《圖畫見聞誌》。由是觀之，觀物不審者，差謬之處，在所難免。一有謬處，丹青雖佳，終非完璧。吾故曰繪事之難，當推人物爲最，次則動物。質諸當世研究畫學者，以爲然否？

古時畫家，論山水畫法者汗牛充棟，論花卉畫法者絶無僅有。兹將花卉之粗筆、工筆畫法相異之處，約略言之，以餉學者。

粗筆。粗筆畫又名寫意畫，言隨其胸中逸氣，揮毫落紙，姿態横生，自然神似，不規規以求形似也。故畫木本花卉，行幹發枝，宜毛而有勁，鈎花點葉，瀟灑自如。畫草本花卉，墨華色澤，宜體態嚴重，迎風帶露，氣仍輕清。如此雖寥寥數筆，而精神發越，不可一世。若用筆暴悍，劍拔弩張，全失花卉之真面目，又何神似之有？不願學者效之。

工筆。工筆畫又名寫生畫，言與真花無異，栩栩如生也。故畫工筆花卉者，宜將各種花木之枝幹葉瓣，以及老葉嫩芽、新萼舊英，隨處觀玩。臨楮弄筆，自能將平日所見真象，趨赴筆墨間也。工筆畫有二大難處：一賦色過於濃厚，則失之俗；過於輕淡，則失之薄。宜臨時調色，深加斟酌。一取材專摹舊本，則毫無新意；對花寫照，則苦於拘滯。允宜獨構心思，巧爲剪裁。願學者留意及之。

山水易學而難精，花卉難於初學而易於精進。山水雖覺皴擦渲染過於繁雜，而少有瑕疵，亦易於掩飾。花卉則一筆是一筆，不容更改。故必審視明確，而後落筆，方無牽强忸怩之態。

世之學畫者，每苦山水畫之章法難於布置。不知山水即目前之風景，取材不難，變化尚易，稍增稍減，形勢自殊；即稍有錯誤，亦不難於補救。惟花卉之章法，實屬難於布置。在普通之眼光，以爲一二種花，隨便布置，有何困難？不知布置花卉，最難新奇，易入平庸；至於平庸，即少精彩矣。且於時節至有關係，如甲種花與乙種花是否同時，苟時節稍差，强畫一處，難免受人指摘。古人畫花卉，一稿數易，率爾操觚，絶鮮佳構。近來畫花卉者，於章法布置不肯用心：或衹顧筆力，每幅雷同；或不知剪裁，堆砌滿紙；或忘花之本體，將草本花畫成木本；或徒逞狂怪，比真花加大數倍。既云寫生，當有生意，忘其本來面貌，而不留意於章法之布置，欲求高尚，豈可得乎！

布置山水尚易，布置花卉最難。蓋山水畫山石、樹木，變化甚多，而人物、舟車、屋宇之屬，尤易配换。况北宗南宗，面貌不同，四時景象，狀態亦異。故筆墨練習妥當，於布置方面自有可觀。惟花卉不然。無論何種花木，其本體絶無法變更。所謂布置者，亦不過向背左右傾斜而已。向者居多，背側無趣，縱向左向右，偶一二花耳。故習花卉，無不苦布置之困難，必多練習種類，或間用鳥獸蟲魚之屬以增新意。此實習花卉者之苦心。練習花卉者，於此注意可也。

花卉之行榦發枝法，前已略述之矣，而設色亦大不易事，非研究不爲功。兹且言設色之法。積瓣成花，瓣之顔色點染須深淺不同，若一花同一顔色，則平矣，平則無韻。至千花萬蕊，更宜留意及此。或三花一聚，或五花一聚，或反正相生，七八花一聚，染色各各不同。如此畫成，張之壁間，遠而望之，煊爛成章，即而視之，點筆靈活，則近道矣。點染花葉，大都不過藤黄、花青兩色調寫而成，而一葉數葉間，亦貴濃淡各異，庶幾閃閃爍爍，如射光綫於其上，而筆底有神矣。至於工筆畫，花朵葉片，設色均宜鮮麗，有一塵不染之致。還有一種畫，在工筆、寫意之間，其施色之講究，雖不及工筆之甚，而亦以鮮艷爲尚。惟至大寫意花卉，斷不宜用鮮艷之色，否則反覺不倫不類矣。此中畫禪，惟在學畫者静參之。

點染之法，是爲没骨，始於清之南田，非古法也。古法皆用鈎勒，鈎勒之筆，力如屈鐵。南田衍爲没骨，專以氣韻生動勝，力不逮矣。今之習南田者多入纖弱，良由於此。世人不察，欲以子祥、伯年矯其弊，不知去古愈遠，愈不可救。余以學花卉當以宋元爲師，宋元不可見，則以明陆包山、陆師道、周之冕、吕紀，以及項氏諸子爲依歸，則可平揖壽平，高出張、任之上矣。

花卉染葉，宋人多用石绿，其法有二：一在絹之正面，正面敷石绿者無論矣，其在背面敷石绿者，正面亦須用草绿或石绿，或純用花青，或赭石間草绿，鮮枯之色，正側之形，細細染出。猶覺不足，然後於背面敷石绿。故雖鮮妍濃厚，而無火氣，自具一種煙潤之致，且與純用草绿、石绿之葉有别，蓋即背面敷粉之一法也。

嘗見陆師道畫水仙扇面一頁，泥金地，石绿葉，花則粉瓣紅心，極其艷冶，蓋得於宋人者也。宋花卉多用雙鈎，故易於石緑畫葉。南田以後，盡作没骨，晚近注重寫意，鮮有石緑畫葉者，失古意矣。

作畫用粉，與石青、石緑同，其質要細，其膠要輕。迨其敷於紙上，尤要薄要淡，蓋粉之濕時，其色不顯，乾則白矣。倘一涉筆稍重，未有不失之厚膩者。石青、石緑之未敷也，必先用赭墨，漸漸染出，俟其將成，然後再敷青緑，自能深厚。其深厚也，非青緑本身多且重也，乃赭與墨烘托之力也。用粉何莫不然？粉白色，紙亦白色，不有赭墨、草緑、洋紅之類以襯托之，縱傾三缸之粉，亦未見其明净而妍麗也，祇覺其膩而已。

凌霄、萱草、百合等花，别有一種金紅之色，在硃砂、藤黄之間。蓋硃砂無此黄，而藤黄又無此紅，畫家敷色，每難得似，勢非雄黄不可。雄黄石質，亦名雄精，佳者值亦甚昂，用法與石青、石緑同。當花之初畫也，先用粉敷出花朵花瓣，再用藤黄淡染之，然後用雄黄。雄黄之後，復用洋紅，則其鮮艷迥異尋常，而與真花相等矣。

畫之一道，原是文人韻事，既不可魯莽滅裂，尤不可塵垢滿紙。明窗净几，貴於清潔，而設色尤貴妍明。於是用膠之法，遂不可不細加研求矣。膠爲皮製，内多污垢，無論顔色若何明净，一經兑膠，污即難免。最好先將膠泥提盡，復使凝結成凍，幾時用膠，即使熱水温之，用既簡捷，質亦明净。益以製就之青緑、研細之蛤粉，則筆硯間之樂，誠南面王所不易也。

絹上染天地多患不勻，可於正面用草緑或墨緑水淡淡染之，俟乾，再於背面用較深之色染之，可免重複不勻之病。是亦背面敷粉之法也。

人言畫山水須有氣韻，余謂畫花卉更應有氣韻。山水畫之氣韻，有時尚可假助於筆擦墨染，若花之枝榦，全視乎筆力，懸腕迅發，縱其所之，筆筆摇曳而出，自有一種丰神，令觀者幾疑爲臨風舞動。是在筆底靈機、一氣寫成之妙，倘支支節節，修飾成功，萬不能有此靈動之狀態。近人寫粗筆花卉，其出筆一味暴悍，挺挺然横一二朽木於紙上，添枝附葉，墨水滲濬，點苔飛空，便自以爲大氣磅礴，不可一世，則非我之所謂氣也。我所謂氣者，宜兼有韻。假如畫牡丹，宜得其厚重之態度，以牡丹乃花之富貴者也。畫寒梅，宜得其清瘦之致趣，以寒梅乃花之高逸者也。其餘若柳、若蘭、若竹、若松等類，或剛或柔，均宜各視其性質，想象其姿態，而發之於筆墨，使讀畫者目光隨畫爲轉移，仿佛真置身於長松細柳、幽蘭修竹間矣。故我意作畫者最好從工筆入門，進而至於寫意，則縱筆大寫，存乎其神，而仍不失其真形，庶幾可成爲名家。畫至八大山人、大滌子，其用筆施墨粗之至、奇之極矣。然我常見山人畫梅,疏花勁幹,殊得高逸之致;見大條子畫竹,風枝露葉,殊得瀟散之趣。氣韻之妙,無以復加。統觀全幅,絶非一點暴悍之氣擾其筆端。可見其於畫理研究極深,迥非漫然涉筆駭世者比也。

論畫之作甚夥,而論花卉者獨少,惟鄒一桂之《小山畫譜》,對於花卉頗有心得之論,然亦苦於略而不詳。花卉自徐、黄以降,明之陸包山、陸師道、吕紀、周之冕,尚能不失宋人矩矱,至清之惲南田、蔣南沙,則多趨柔媚妍冶,無復舊觀矣。

近人花卉,多喜作折枝,多喜作立軸。蓋一作横卷,一添根株,泉石蟲鳥皆有問題。余嘗謂畫花卉者不作横卷,其藝不得進,衹畫折枝,亦衹如深閨麗質習做針黹耳。倘值尋丈大幅,吾知其無能爲矣。

近日習花卉者,率多粗枝大葉,數筆即竣事,遠之宗法白陽、八大,近之宗法缶老。夫白陽之高簡,八大之生拙,初學不易摹擬,無論矣;即以缶老而論,何嘗隨便塗鴉?其含蓄處,更爲難能可貴。故其畫張而望之,皆成渾圓體,非扁平者。學者於此最宜注意者也。趙撝叔以側筆寫生,均是隸法,其結構之新奇,布置之近真,均可取法,且易得其精神。不過入手時須細心練習,無一筆模糊處,始能與真花無異,久之得其法,雖見奇異之花，亦能任意構圖而美觀也。

晚近花卉，非學張子祥，即宗任伯年。學子祥者恒流於俗，宗伯年者恒流於野。非子祥、伯年不足學，蓋學之者爲其所囿，遑論宋元，即如明之包山，清之南田，亦所鮮覯，耳所濡、目所染者，子祥、伯年已矣。不知子祥、伯年亦各有自，取法乎上，僅得乎中，取法乎中，斯爲下矣。間常謂欲學花卉，須學山水；欲學點染，先習鈎勒。花之生也，有枝有幹，所生之地，有泉有石，非僅如今之習花卉者，衹以一枝一葉、一花一朵炫世之謂也。而其本其幹，其泉其石，其苔其草，其渲染皴擦，固非參以山水之法，不可常見徐熙、黄筌畫卷，平岡曲澗，絶壑奔泉，層層布置，令人蕭然意遠，如探幽谷，如涉叢林，其慘澹經營處，又如讀郭熙之《山水論》，豈習山水者所能辨哉！

花卉之外，昆蟲鳥獸，不可不習。如山水中之樓閣人物、層巒疊嶂、曲水長林，置一危樓古屋、漁子樵夫，便覺生趣盎然。常見宋人花鳥小冊中作一石，傍有坡塘，芙蓉數本，幽竹一叢，内有瓦雀數十，飛鳴食宿，曲盡其態。而雀之大小，不及纍黍，翎毛無不畢具，驟觀之下，不啻置身名園曲榭中也。又見宋人所作蜀葵，長枝密葉，幾無一隙，其中一葉，似遭殘食，而於葉之微端伏以絡緯，便有新秋景象，真所謂頰上三毫者也。

趙撝叔用筆颯爽，一洗纖麗甜俗之習，雖少冲和渾融之致，爲識者所病，而其於隨意塗抹中，動中規矩，較世之野狐禪者，有上下床之别矣。

學者之作畫也，何先何後，何重何輕，何爲輪廓，何爲皴，何爲染，何爲擦，必條分而縷析之，詳解而實習之。蓋不如是，則陰陽乾濕、虚實濃淡之道不明，誠如一部二十四史，不知從何處説起；學者雖欲潛心竭慮，默運沉思，亦苦於無着手處。迨夫皴染之道既明，先後之序已判，切不可膠柱鼓瑟，致失靈機。蓋審形度勢，見其宜夫鬆秀條達也，則不妨皴中帶擦，以求其空靈疏宕；見其宜夫圓潤渾成也，則不妨皴中帶染，以狀其綿密華滋。破輪廓而爲皴，以化其板滯；借皴勢以成輪廓，而求其貫通。或有染而無皴，以求夫雲煙明滅；或有輪廓而無皴，以狀夫峰巒起伏。或乾擦而不見筆痕，或荒皴而不求形似。三四分合，而顯晦判然，遠近各别，誠所謂庖丁解牛，不見全牛。是又在學者細心體會，而非口講指授所能奏效者矣。

山水輪廓，不宜過真，真則運用不靈，而有板滯之象。初學作畫，非輪廓即無所依傍，如寫字之用格紙，紙而有格，故能將字擺正，殊不知氣脉已失於連貫。夫畫狀天地自然之景，舉凡雨雪晦明，春秋冬夏，雲煙綿緲，風波浩蕩，如攝影然。撮一時之奇觀，留千載之名稱，其中變化，不可思議。必將位置布定，輪廓鈎妥，而後畫去，則如刻板之書，整齊規矩則有餘，氣韻已盡失矣。畫無氣韻，詎得爲畫耶？是以學者初步，應從輪廓入手。能畫之後，須將輪廓泯去。夫將輪廓泯去者，非謂無輪廓也，乃令其忽隱忽現，忽變渲染，忽變皴擦，忽然一筆横亘，轉顯峭拔，而其運用靈活，是在畫者，總勿令其過板而已。

不明皴擦渲染之法而言山水，是南轅而北轍也。見筆謂之皴，不見筆謂之擦，謂之渲染。擦者乾筆，渲者乾濕之間，染則純用濕筆矣。雖一石之微，必須先鈎輪廓，依勢皴一二筆，再依勢而染之；染之不足，而後渲之；仍恐其不渾脱也，而後用乾筆擦之；又恐其不醒目也，而後用焦墨破之。必使見筆而不刻露，渾融而有條理，夫然後能事畢矣。然此不過爲初學者指引門徑耳，至於超凡入聖，參合造化，則如大匠運斤，動合規矩，又豈能拘拘乎爲成法之所限哉！

用墨貴在能黑，而其黑也，非謂烏煙瘴氣，填塞滿紙，若新自染坊中取出者也。蓋能淡而後能濃，能白而後能黑。不有淡者，何以知其濃？不有白者，何以顯其黑？故欲知其黑也，先求其白；欲其濃也，先求其淡。層層皴染，由淺入深，迨其將成也，於其山棱石隙、樹角屋脊，着一二焦墨，濃筆以醒之，覺煙雲縹緲中有墨如漆，光明照眼。此真所謂畫龍點睛者，黑在其中矣。

畫石之法，側面最難，必使層層轉去，棱角峥嶸，在不圓不扁、不長不方之間。倘一成形，即失畫石之旨。畫山亦然，而其氣勢綿亘，脉絡貫通，較諸畫石尤爲不易。是以無論其爲山爲石，當先注意其輪廓。輪廓用筆務乾，用墨務淡，隨意鈎出，或隱或現。俟皴染既成，其現者不妨用濃墨重鈎，益使其顯；其隱者則用淡墨層層染去，而泯其跡，自有雲煙變没、山勢峻峭之妙矣。

南宗山水，畫石衹分三面，正面及左右面是也，雖極力變化，新意難尋。若北宗畫石，變化甚多，側而微側，傾而更傾，一塊石法，甚至有十餘面者。此種畫法，最宜學步。大概南宗畫石多乾皴，北宗畫石多劈斫。劈如斧劈，斫如刀斫，方筆爲宜，故多顯其側面也。曾在紅豆館主處見明五雲山人畫石長卷，石法甚多，變化新奇，透漏玲瓏，真可師法。聞此卷歸諸清道人，今不可得而見矣。

山水者，風景畫也；樹林者，風景之點綴品也。故學畫山水，必從畫樹林入手，以山水之有樹林，猶人之禦衣服。審是，稱樹林爲山水裝飾品亦無不可。碧桃紅杏，嫋嫋迎風，則春山如笑矣。翠柳緑槐，陰陰含雨，則夏山如滴矣。霜染丹楓，風吹黄葉，則秋山如壯矣。煙横古木，雪蓋喬柯，則冬山如睡矣。且也蕭寺鐘樓，板橋野渡，有疏林密樹掩映其間，則别饒風趣。如此則山水畫中之布景，半屬於樹林之安插。而欲求樹林之姿態，非研究不爲功。董文敏云：「唐以前無寒林，自李營丘、郭河陽始盡其法。雖虬枝鹿角，槎枒紛拏，而挈裘振領，修理具在。是營丘、河陽對於畫樹，頗事精研。」華亭又云：「山行遇古樹，須四面觀看。」蓋樹有此面入畫，有彼面不入畫者。是華亭之畫山水，亦注意於畫樹。洪谷子詩：「筆尖寒樹瘦。」一瘦字寫盡寒樹之神。孟浩然詩：「緑樹村邊合。」一合字寫盡夏樹之狀。王摩詰詩：「萬壑樹參天。」一參字寫盡森林之葱鬱而高曠。詩畫一貫，此皆從真景領略得來，非漫然落筆以爲創作也。

今有法於此，爲畫樹要訣，蓋師古人畫稿，果然無錯。然墨守舊本，終無出路，自宜參以活着。活着者何？師造化也。試觀天之生物，山川林木，隨時變遷，變更尚少，惟林木則四時不同，可潛心觀審也。冬日積雪枝幹，玉骨冰肌，完全呈露，畫其體態，無一遁形。陽春一轉，枝梢柔軟，薄透微紅，由紅芽而嫩黄而淺緑，至盛夏則緑葉成陰矣。過此逐漸清疏，或變黄色，而秋來矣。及深秋則落葉紛飛，而冬又來矣。一歲之中，除松柏外，各種樹木其變體，大概如是。留意及此，則風枝雨葉，一舉目間，無非佳畫，摹作粉本，以資應用，法無有善於此者焉。

山水中畫竹之法，較任何樹木爲難。元之曹雲西，清之惲南田、戴醇士，皆以畫竹見長。而層巒疊嶂中，偶着幾枝風梢露葉，别有逸致，如久厭膏粱，忽得蔬筍，清新適口，迥異尋常。然位置苟不合宜，或畫之不得其法，則牽强忸怩，韻致毫無，反爲全幅之累。其法無他，衹在出頭三五葉而已，抑揚得勢，其次自迎刃而解，否則愈添愈多，愈多愈醜。山水中竹可分爲二，一爲垂葉，一爲仰葉。垂葉較易，仰葉較難。而其筋節處，皆在竹竿竹枝之貫串。苟無竿枝，葉何由生？故葉愈少，枝愈難畫，枝能得勢，葉亦含姿矣。

畫柳枝難於畫竹枝。蓋竹枝向上，勢宜剛勁。柳枝下垂，非柔不爲功。柔而無力，與描何異。所謂剛健含婀娜者，戛戛乎其難矣。

畫之最難結構者，莫過於山腰。蓋山頂則峰巒起伏，山麓則林木回環，皆有實際可以着筆。至於山腰，則專賴夫雲煙變幻、陰晴掩映而成趣，勢非從空處落想不可。而布局又不能過空也，則惟有山徑盤曲，或斷或續，溪水横流，或遠或近，風光滅没，野景迷離，自具一種深邃幽遠之觀。是即所謂深遠者也，於意境爲最佳，於筆墨爲最難。蓋一着跡象，即失真諦；不着跡象，則又未免過空之譏。筆墨有盡，意境無窮，漠漠中氣象萬千，自非名手莫辦。

或有以畫水之法問余者，余曰：水狀不一也，有江海之水，有溪澗之水，有池沼之水。畫江海之水，宜得其波濤起伏、萬流怒吼之狀。畫溪澗之水，宜得其淺浪層疊、觸石瀠洄之狀。畫池沼之水，宜得其淡月摇光、微風縐縠之狀。更有遠水近水之分。近水之狀，已如上述，至遠水雖曰無波，亦宜用淡墨輕輕虛寫，若有若無，直使人遊於淼渺不可窮極之境，則神矣化矣。學畫者之巧拙，全在胸襟。舟車所至，若能於河海間真景隨處體會，則一舉目間，默參造化，日就月將，筆底自然超妙，與畫史之困於稿本下者，絕然不同。

唐孫位胸襟曠達，樂與幽人爲物外交。光啟中畫應天寺壁，波浪排蕩，勢若飛動，遂以畫水享大名。論者謂孫之畫水幾於道，道也者，幾不辨爲造化筆墨矣。我今有畫水之訣，敢告學者：綫紋須氣長而靈活，筆斷氣不斷，形斷意不斷，恍若神龍隱見，首尾相連，則得之矣。總之畫大水宜懸肘，畫小水宜懸腕。平日遇廢紙，輒爲練習，毋間斷，庶幾運用時得心應手，自然氣長而靈活。畫水之法，如此而矣，豈復有異術哉！

古人以煙雲二字，稱爲山水之源，雖一鈎一點之中，自有雲煙存乎其間，非筆墨之外別有煙雲也。若僅將淡墨設色烘染而成，即是俗工之畫。

人之喜怒哀樂，皆係於面；山之晴陰起伏，皆係於雲。雲氣綿亘，似斷非斷，似連非連，故山之形象不一。山之氣脉，固未常不連貫也。因其形象，辨其晴陰顯晦；因其氣脉，求其起伏照應，而山水之能事畢矣。雲本無跡，山腰樹梢一段白氣而已，流蕩變化，瞬息千狀，烏可以筆墨求之？然畫離筆墨，不成其爲畫。趙伯駒等以鈎勒寫之，米南宫父子以巨點求之。學者不慎，恒流於俗，非是刻板呆滯，即爲粗獷惡劣，失其韻矣。吾意最好用墨水渲染，積漸成雲，令其有煙嵐蓊翳、蒼翠欲滴之妙。此梅道人得之於北苑、巨然者，而龔半千、沈石田輩又得之於梅道人者也，學者宜宗之。

收藏山水畫品，晨夕展玩以爲樂者，稱爲煙雲供養，是山水畫中之要點。煙雲尚已，畫有煙雲氣，則蓬蓬勃勃、蒼蒼茫茫，使讀畫者神遊其間，怡情養性，以淡世慮，以捐煩惱，誠醫俗延齡之妙劑也。然則作畫者，宜體會煙雲二字，展紙凝神，下筆潑墨，以求其蓬勃蒼茫之氣。能達到此程度，方爲名畫，必傳無疑。古人畫崇山峻嶺、層巒疊嶂，其互相接合處，必有一二懸虛，留以空白，籠罩樹林，渲染淡色，以取煙靄氤氳之象。倘山山緊凑，不留餘罅以透氣，則窒塞不靈，生動之氣絶矣。木僵而無煙雲之可言，試問尚有趣味乎？

非特畫山如是，畫水亦然。工筆畫中有網巾水畫法，並非滿江滿湖盡是整飭曲綫之條文也。遠水無波，乃當然之理，即近者亦宜酌留幾處空白，或較鬆懈之綫，以取水雲蕩漾之象。至寫意畫，則波光淼渺，更宜留意於煙雲，且推而至於樹林、屋舍、橋梁、檣帆等類，均宜從煙雲着想。即以真景言，步涉郊外，遠眺林木，有僅見樹稍者，有僅見樹根者，有見樹頂、樹根而獨不見樹身之中段者，煙雲之變化使然也。塔頂虛峙，殿簷浮空，或衹露殿階塔基者，亦即此理。更有孤帆遠逝，斷橋虛架，無非從煙雲漠漠中得此氣象。畫能傳神，則冥心獨往，自然超妙。一幅畫成，張壁自賞，遇得意處，先自煙雲供養矣。米友仁年八十餘，神明不衰，黄大癡年九十，貌如童顔，沈石田、文徵仲、董思白、王煙客、查梅壑、王石谷、羅飯牛、杜旭初，亦皆耄耋。審是，則古來名畫家，既能以煙雲自爲供養，又能貽之後人，自壽壽人，《詩》所謂永錫爾類是也。

自王洽潑墨以後，米氏父子繼之，煙雲蓊翳，蒼翠欲滴，狀天地之奇景，開畫界之先河。蓋南宗山水，多注意於皴擦，而米氏獨致力於渲染，且於渲染之中寓皴擦之法，極乾濕之妙，故能有筆有墨，有骨有肉，氣韻天成，與造化合。世之一味塗鴉若倒染缸者，固不足知米氏之竅，要即大點淋漓、荒樹一堆者，亦未窺米氏之門牆者也。米氏作畫在於染，而不在於點。山脊林隙渾合不分處，略着焦點三四以醒之，若畫龍點睛然，故能見其神韻。若不解其意，無上無下，無山無樹，一味狂點，實未見其可也。元高尚書彦敬，亦以寫雲山著名，然較之米氏更工。其色彩之變幻，丘壑之布置，全由宋北宗畫中變化出之，而不失南宗之面貌，故能獨創一派。後世寫雲山之講求工細者悉宗之。明董文敏取法米、高兩家，尤爲進步。蓋董氏善用墨，其一點一拂，無不墨彩淹潤，氣象渾淪。曾見其得意之作題云：「山耶樹耶？雲耶煙耶？」此八字中已表出其氣韻之雄厚，煙雲之變幻矣。雲山既工，筆墨潤澤，雖不作雲山，亦無枯澀之筆墨存在。故董氏生平所畫，雖丘壑有不甚佳者，而筆墨無不透逸，職是故也。

古人畫遠山，有後層轉濃者，論者頗不一致。或曰：山愈遠則霧氣愈深，故色愈濃。或曰：遠山之前淡後濃，須視察山勢之光綫，非漫然涉筆也。余以前説爲非是，後説爲近情。蓋霧氣深則山色隱，焉能較濃？若指爲光綫，則語較活也。

苔點爲山水眼目，如畫龍之點睛，不可過多，亦不可過少。要於山巔石隙間，參差錯落四五點，明晦顯然，神彩焕發。自董源、巨然以及梅花道人、沈石田、龔半千等，皆優爲之，濃墨巨點，元氣淋漓，如經滇黔山麓間，覺雨氣山嵐，撲人眉宇。近世學者每不知苔點之重要，是以所作之畫，不點則無神，多點則無贅，雖欲用功圖進步，其道無由也。故予每告學者，於點苔一法，須十分用功，則作畫時自無困難也。

畫設色山水法，前人有二説。王右丞《畫論》：操筆時不可作水墨設色想，直至了局，墨韻既足，設色不妨。錢松壺《畫憶》則云：每幅下筆，須先定意見，應設色與否，及青緑淡赭，不可移易。二説絶然不同，而各有見地。余意松壺爲初學説法。凡初學者除去臨摹，自創新圖，操筆時水墨設色，茫無成見，故欲其立定主意，分清界限，使之練習到欲如何便如何地步。初步既達，然後再講神韻。至於青緑淡赭，畫法自然不同。青緑皴法宜簡明，以留施重色地位；若施淡赭，則墨筆皴染，須先完足，方有精彩，否則色浮而薄矣。能如是用墨用色，王右丞「墨韻既足，設色不妨」之謂也。不妨云者，便是不設色亦可之意，蓋不加色彩，墨華中已具神韻矣。故余於上二説，認《畫論》爲高超，認《畫憶》爲切實，不可偏廢。學者須潛心默會，折衷以尋途徑也。

設色之法，與墨筆同。墨須自淺入深，層層染去，色又何莫不然？古人設色，大都妍雅有致。即設重色，如大青緑金碧山水等，亦覺古艷積香，自有淵穆恬静景象，而無浮燥煙火氣息。固由其涵養者深，實亦因其能從淡處着手也。今人作畫，設色非黝闇不明，即火氣逼人。黝闇不明者，每因墨底過深，設色過淺，否則色中含墨之故。火氣過重者，則又墨底淺而色敷重之過矣。雖然，敷色之病果在重耶？在其不善於用重耳。夫善於敷色者，着色不多，鮮明可喜，固尚矣，而其層層染去，極盡蓊翳陰森之法，而又頑艷動人，則尤爲可喜。蓋以其由淺入深，逐漸加重，而非一筆蘸盡顔料，横塗豎抹之謂也。常見世之售畫者，畫一朱柿，其紅也如新剖出之猪肝，吾真不識其美之所在矣。

青緑一道，難言之矣。石谷自言，學畫三十年始得青緑之秘。蓋青緑之難，不在其既着之後，而在其未着之前。倘於未着之前，畫得黑白分明，陰陽清晰，及其着色之時，自能沉瀣相融。若其根底未能畫足，而侈言青緑，戛戛乎其難矣。是故學青緑者步驟有五：

一曰墨底。除没骨法外，無論淺絳、青緑，皆須用墨皴染成就，然後始能敷色。而青緑墨底，用筆欲簡而堅，用墨欲厚而净。筆繁則石面小而礙於敷色，墨薄則易爲青緑所掩。筆不堅而纖弱，墨不净則囂張。

二曰赭石底。墨底既成，則全部敷淡赭一次，而於山根、石隙、坡脚諸處，再敷重赭一次，務使其托着青緑，以分陰陽顯晦。

三曰草緑、花青底。擇其山石之背陰處，應用重緑者，則先敷草緑，應用重青者，則先敷花青，然後再敷青緑，自與其他山石有別矣。

四曰青緑。初敷一次最淡者，漸漸而深，約四五次，或六七次，必足而後已。大致青緑畫法，山頂最重，山脚最輕。是以由山頂至山腰，敷色面積，逐次减小，迨至山脚，則純留赭石矣。大青緑畫法，尚有每次敷色之後，添敷礬水之説，蓋因石色過粗，防其不匀耳。

五曰點苔加皴。青緑敷過之後，墨痕漸爲色掩，陰陽顯晦，或不明晰，故須點苔以醒之。其石面之不能着苔者，則加皴以醒之。惟石色之上，不得加墨，衹可於石緑上面加草緑皴，石青上面加花青皴而已。

青緑之難，已如上述，製色之法，尤不可不知。近世畫家，侈言高古，多學水墨淺絳，對於青緑一道避不致力。間有畫者，亦不過用石青錠、石緑錠而已。則其中稍事研求者，亦祇知用乾隆御製之石青、石緑錠，對於青緑之根本製法，殆失傳矣。閒居多暇，每事研求，特縷述之。唐楊昇，宋趙伯噅、伯駒，元錢舜舉，明仇英，清王鑒，多喜作青緑，妍冶高古，渾厚華滋，其色於青緑中多含白質。近人作青緑，非過於黯淡，即近於俗艷，其色多含紅質、黄質，此無他，近世不解青緑製法，色内含有泥砂之故也。

製青之法，一曰煮，二曰分，三曰漂。近世售者多爲研細之粉，其未經搗碎之塊，殊不易見，價亦殊昂。要以青塊爲最佳，粉則其色深而含石粒者爲佳。色淺而質細，似已製者，則不可用矣。

煮之法，先將石青搗碎研細，用盆盛水在爐上煮之，火旺水沸，則其輕而潔者上浮。用紗縫一布兜，另置清水一盆，然後將其輕而浮者盛起，置於清水之内。如是煮至色不上浮爲止，然後將其所剩渣滓，另置一處，再將清水内之色置爐上煮之，則其輕者潔者，又皆浮起，而其渣滓亦必逐漸減少。如是一次二次，以至七次八次，視其純潔毫無泥質，將其另器盛起，是爲最好之青，不可再煮。再煮則質細火旺，勢將全部熏黑，反不能用矣。其所剩渣滓泥土固多，色亦不少，當視其質之粗細、色之明晦爲度。質細而色晦，則不能用，除棄置無他法。色明而質粗，尚有晶瑩之石粒在内，則不妨再入鉢研細，再依前法煮之。然此次煮出之後，須另行收置，切勿與前次煮出者混合。因前次之青乃質之最高者，此則較次，能用而已，非純潔之品也。分之之法，凡青煮出之後，用乳鉢細研，至無聲爲度。用水冲開，用磓攪起，少停，即將浮上青水倒出，另碗盛之，少停再倒碗内之青。如是至五六次、七八次不等，最末質細色浮，非四五日不沉。其乳鉢内所存者爲頭青，次爲二青、三青，次爲四青、五青、六青，其最後最淺者，質亦最白最細，最爲適用，至於頭二青則衹能用之填樹葉而已。石青分析之後，尚含泥質，故須用膠提净。凡碗底青色，用一匙膠水，再兑一碗清水，用乳鉢磓攪匀，即置諸案頭，候其澄清。或一日，或一日一夜，膠水上浮，青色下沉，泥質亦隨水浮於上面。然後用吸水器將上面膠水泥質吸去，再兑膠水，再攪再吸，一次、二次至於六七次，俟泥質盡去而後止。製青之法，遂告蒇事。製緑之法亦如是，惟不煮耳。

學畫須先知紙之性質。知其性質，畫時自易着手。蓋紙之性質不同，畫之用筆、用墨亦異。紙類大别爲生、熟二種，其顯而易見者，滲化、不滲化而已。生紙漬水滲化，熟紙則否。故畫熟紙者，或墨或顔色，筆端宜潤而净，以取光澤。若寫雲山，宜加意渲染，方得空濛縹渺之趣。工筆畫於絹素之外，大都喜用熟紙，以其紙不滲化，易於細描細染也。然渲染亦有分寸，至多二三次，過此則色滯而筆癡，不能流暢也。畫生紙者，運筆宜速勿滯，以取靈機，揮毫落紙，隨其滲化，宜筆墨之濃淡乾濕得宜，則山川晴雨，雲煙蕩漾，有不期然而然之妙，以其紙性足以助氣運之生動也。至於畫綾與生紙性質相近，畫摺扇與熟紙性質相近，不再備論。

作畫用紙，以生宣紙爲正宗。古人所用之熟紙，係煮硾性質，吃水而不浸，最便於繪畫，製法今已失傳。今之所謂礬紙，能得舊紙固佳，否則寧用雲母、蟬衣爲宜。雲母、蟬衣雖屬礬紙，與冰雪諸紙不同，礬性較薄，而雲母礬性尤薄，有時介乎生熟之間，此最佳妙。余臨古畫，古人用紙者余亦用紙，然必擇舊紙爲之。宋元紙不可得，得明紙臨畫較爲易似，否則亦須乾隆時紙，不然寧用絹不用紙。蓋古之白麻、鏡面諸箋類皆有綿性，且皆經過淺礬，故其紙似生不生，似熟不熟，吃墨而不浸墨，發墨而不滲墨，有絹之功能，而其運用愜意處，又有非絹所能企及者。此無他，絹之礬重，而其質又不同也。

常見古人作畫，偶獲佳楮，必經意爲之，而其畫之成也，亦必神采奕奕，迥異尋常。此無他，紙佳則得心應手，乾濕咸宜，非似市售之六吉、單宣等紙，將一着筆，水浸成片，否則乾燥枯澀，畫成飛白之類也。是以作畫當先擇紙者。澀脆而不吃墨，最爲難用。至於玉版宣，祇便於書，而不便於畫也。用舊宣紙作畫，古色古香，幫助畫神不少，然用慣者，非此不能着筆，一用新紙，即不能入目。譬如饜飫膏粱，即對粗糲不能下咽。是以非舊紙不畫者，亦非良法也。

宋人所用畫絹，絲圓而質細，最爲上乘，不特延年，且易着筆。明人畫家，率用粗絹，必裱紙一層，始易作畫；而絲間隔筆，筆畫每多白點，蓋爲粗絲所隔，墨不易入也。明人字畫，多以綾代絹，職是之故。清乾隆時畫絹，絲圓而細，即是取法宋人。道光而後，工料簡陋，扁絲絹始流行。斯時國家多故，藝術浸衰，在上者無暇提倡，而社會間更無人顧及矣。降及近世，絹質益劣。講六法者，除少數描稿畫家外，鮮不以礬絹爲畏途。事實所趨，而日本絹遂爲愛日畫家所樂用。蓋日本畫絹絲圓而純净，礬熟之法，似有古意，無論設色、水墨，均易秀潤光澤。其所以不及宋絹者，徒具其形，質脆易裂，而着筆飄浮，不易見力，兩筆重疊，最易模糊。故用此種絹作畫，僅能取悦於人，不能傳諸久遠。且常用此種絹者，一經換紙，醜態百出，慣作小幅，不能作大幀巨幅，以其筆力不易顯也。故余希望國絹改良製法，取法宋絹，不願舶來品之流行國中也。

余非好唱異詞者。世以善畫生紙,自鳴其高,施施然自命爲善學宋元者,正其不知畫也。無怪習染成風,奇形異狀、詭謬絶倫者比比也。

近人作畫,多用羊毫生紙。殊不知以生紙之澀,益以羊毫之軟,堅澀難行,秃拙老醜外無他長。美其名曰學清湘,學麓臺,好事者復自旁贊許之曰:是真得自若禪語録,而深悟夫金剛杵者也。是何異南轅而北轍哉!美術二字,顧名思義,其爲術也,舍美外何所求?若以秃拙之筆墨拉雜爲之,衹增其醜,不見其美,恐清湘、麓臺不如是也。

畫局題款爲最不易事,須視畫之全部局勢,審定合宜位置,然後落筆。或詩或跋,參差高下,隨意題去,均與畫局相合,而書法又宜與畫法相稱。畫有粗筆、工筆之分,粗筆畫題字宜縱横奇古,工筆畫題字宜整齊秀麗。若倒置之,則畫法雖佳,兩不合式。若書既不精,不如不題之爲愈也。夫唐宋以前畫品多不署款,或隱藏於樹根石隙間,自蘇東坡、倪雲林、米氏父子,文辭高妙,書法又遒勁超逸,畫局之上,題詩或跋,着筆成趣,便開後人題畫之門。蓋題句乃所以顯畫意也。今之畫家,襲古人之陳言以補空白,或意不相屬,或字間有訛,貽笑大方,往往而是。曷不師法古畫,署款於樹根石隙間,或少題以藏拙乎?

又有一事更當注意者，凡題擬仿某家畫法，須確會見過某家畫，臨過多少遍，筆底確有似處，方可云仿，否則不如不題摹仿字樣，較爲通脱。余見今人畫册頁，十有八九云摹仿南宫、雲林、仲圭、叔明、石田、白陽，以及南田、石谷、漁山等家，其中惟米南宫、倪雲林兩家可顯者外，餘則用筆用墨皆相若也。譬如畫一闔家歡圖，題跋曰：某公坐於左，某夫人坐於右，立兩旁者爲公之某兒、某婦、某女兒、某孫男女，一一題識其上。其中惟老翁老婦可顯者外，餘則男女大小，面目相若，不爲識者笑乎？且觀此圖者，要皆熟識人也，猶之購買册頁者，多半知畫中門徑人也，即或不知，而其親戚朋友容有精於此藝者，故大書特書曰摹仿，不可不加之意焉。

今人每喜求人作歲朝圖，取其吉祥止止也，不知歲朝圖最不易畫。曾見古人作此圖者，物品無多，大都畫瓶中插花卉，如梅、松、天竹等類，俯仰横斜，各具姿態。其傍則佐以果品，如百合、柿子、香橼之類，至多加爆竹一串，以資點綴而已，清逸絶俗，仍不失爲高雅之品。今人畫歲朝圖，務取丰滿。近來申江畫家某作一中堂，自負爲佳構，觀之則插花盈瓶，傍佐柏枝、牡丹、水仙、香橼、百合、紅柿、青錢、香爐、如意、小兒玩具、雄雞、大魚、猪頭、年糕、爆竹兩長串，仿佛人家買年物歸來，堆置滿桌滿地，尚得稱爲畫品乎！

畫之裝潢，亦關重要。古畫之揭裱、補色、補畫，非高等手藝不易見功者無論矣，即新作之畫，其裱背、齊邊、鑲綾、綾色之配合、軸頭之安置、上杆拴繩等事，亦須格外講求。常見不事考究者，徒貪價廉，以極佳美之畫交粗工裝潢，其結果將畫幅損壞，或齊邊甚多，致傷畫局，或托背不慎，傷畫設色。至於染綾配色之俗惡，鑲綾尺寸之乖謬，全畫減色不少，殊可惜也。即使另覓良工揭裱，匪特兩次之裱價增多，而新畫一裱再裱，精神亦損失矣。

中國畫品裝置之法，便於賞玩，較西洋畫裝置爲勝。西洋畫品，紙用厚紙，圍以木框，蓋以玻璃，重量殊沉，一經懸掛，遷移大非易事。余昔年曾至一家，觀其壁間所懸畫，數年以後，再至、三至，壁間這畫如故也。觀玩意味，逐次減少，卒不欲觀之矣。中國畫品，古昔畫於壁，壁破而畫毁，不能持久，且無從遷移，其不便更甚於西洋畫之裝入鏡框者。畫紙絹裝置立軸，懸諸室中，觀玩多時，易以他幅，眼光爲之一變，興趣隨時轉移。卷藏懸掛，一舉手之勞也，便利多矣。然出門訪友，携共欣賞，捆載而往，猶覺非便。於是有裝成手卷或冊頁者，舟車所至，取携甚便。漸近而繪諸扇頭矣，交際場中，互相觀玩，更無有便於此者。此中國自古迄今，研究賞玩畫品之便利逐時進步也。

下卷

余致力藝術三十餘年，自謂於花鳥一門少有心得，山水次之，人物又次之。蓋花鳥章法簡易，且盆盎標本，到處可以取材，隨手拈來，皆成妙諦，要在得勢而已。山水經營布置，既須妥貼，又須新穎，且重岡疊嶺、曲澗環溪，雖竭畢生之思，不能盡其妙，非僅一丘一壑之謂也。至於人物，一冠一帶，一髮一鬚，動合神情，攸關掌故，又非山水比矣。

嘗謂學畫有常有變：不師古人，不足以言畫；泥守古人成法，亦步亦趨，亦不足以言畫。畫能有常有變，方爲大家。嘗見當代畫家個人畫品展覽，動輒二三百件，然看過二三件後，其餘皆可想像得之。此無他，畫不師古，千篇一律，弗能少參變化，縱有萬件，亦不過二三件耳，其多也反增人厭。又嘗見世之摹古者，學王則王，學惲則惲，學宋元則宋元，求其廬山真面目，則渺不可得。是又食古不化之弊也，與攝影機何異？王石谷鎔南北二宗於一爐，摹宋則宋，摹元則元，而其筆墨間自有本來面目在，故能集群聖之大成，而爲一代之宗工焉。

又作畫不能將全部畫出。即如黄子久畫《富春山圖》長卷，雖洋洋大觀，亦衹能寫其片面，其後面一部分則不能畫矣。即曰石分三面，總有一面不能畫到，况立軸屏條，焉能畫其全部耶？花卉更不能將全本畫出。總之無論何畫，均應選擇其最精采之一段作主體，纔有全神貫注之妙，使讀畫者神遊其間，自然推想出其全部，引人入勝，方可稱爲好手也。

畫家對於美好之景物，或林巒濃淡淺深，或煙雲之滅没變幻，詩有不能傳，而獨傳之於畫者，並無舊人先摹稿本，而我寓之於目，是當認爲獨得之秘，豈可輕易放過，致觀面失此美滿之景物乎？設或一時忘携紙筆，亦須以指畫肚，將其大意之所在存諸心中，歸後悉心默寫，亦可爲新奇之稿子。所以古人常隨帶描筆，或登山臨水，或登樓遠眺，見有怪異之好景，便即盡意摹寫，詳細記之，則分外有發生之意。天開圖畫，作畫者如遇此情景，務必格外留意，不可錯過，當注意勿忽可也。

趙子昂畫馬，閉門伏地，對於馬之動作，如長鳴，如蹴蹄，如賓士，如滚卧於郊原，作種種狀態。戚原畫狗，客訪之，聞室中犬聲甚沸，有類數十狗若争骨者，若衆雄逐雌者，又若孤村野店，陡見生客，吠聲從水中出者，及辟户，則原據几畫狗正酣，口中狺狺聲猶未盡已。子昂與原皆以身作則，形容以赴其筆墨，用心如此，宜享大名於後世。余謂非特畫動物爲然，即畫山水花卉亦當如是，要用全副精神，潛心默揣。如畫山水，則替山水中人物設身處地，或坐茅亭，或立荒坡，或騎驢而行山徑，要各傳其神情。即無人物，宜從全局設想，若者宜橋渡，若者宜亭榭，若者宜立浮圖而藏殿宇，要各求其適當。至於花卉，雖較簡單，而風晴雨雪，亦宜體貼入微，才行施墨。

虛實二字，乃畫中最要關鍵。實易虛難。時人作畫，每一拈筆，苦於不忍釋手，故有過實過多之病。常見王鑒小幅，濃墨巨點，滿紙淋漓，忽有一二山石，略無皴染，且於濃墨樹中置一不染之夾葉樹，此皆善於用虛者也。唐岱之畫，較麓臺工緻，而不如麓臺者，亦過實之病也。

作畫須虛實相生，乃有美趣。初學求實尚未能，遑論乎虛？所謂虛實相生者，指有程度者而言。蓋畫家練習數年，無一處不虛，即無一處不實，勉强求虛，反欠自然。至於程度高者，用筆用意，俱臻靈活之境，行乎不得不行，止乎不得不止。當止之處，即自然之虛境。虛爲實之輔助，即虛爲畫之妙境。意到筆不到，最堪尋味，不可忽也。

今人作畫，務取其多，充塞滿幅，自以爲厚。觀畫者又從而和之，以堅作畫者之自信心，不知此乃大誤。要知畫之所謂厚薄，不在施墨之多寡，而在用筆之健弱。筆弱，雖層巒疊嶂，雲樹密茂，而形勢依然單薄。筆健，雖一丘一壑，林亭孤寂，而氣息亦覺雄厚。以筆健者執管直下，胸無遲疑，縱横揮灑，有一種沉着之氣，赴諸筆端，落諸紙上，故不期厚而自厚也。若夫筆弱者反是，心手相戾，運筆中疑，鈎勒乎陷，提之以染色，腠理錯亂，掩之以點苔，縱然滿幅雲山，而布置迫塞，絶鮮靈機，厚云乎哉！

查梅壑平生得力處在生，王石谷平生得力處在熟。生非初學之生也，乃其工力純熟之後，而以生出之也，故其落意奇警，造境幽邃，生於王、惲之時，而能自立門户。然其着墨無多，窅然深遠，格調甚高，實不利於初學。蓋人初學畫，如稚子學語，必耳提面命，一一以教之。待習既久，始足以言應對。梅壑用筆高簡，蕭然數筆，便有千岩萬壑之勢。初學習之，如稚子學語未成，便令應對賓客，吾知其期期艾艾，徒資笑柄耳。石谷鎔南北宗於一爐，樓閣、人物、林木、泉石，筆墨綿密，各法畢備。初學習之，庶可知所依皈，進窺宋元堂奥。然習之既久，又有爲所拘囿、弗克擺脱之嫌，是則過熟之病也。常見村塾課讀四書五經，皆已讀畢，偶一考試，即能背誦通本，不可謂不熟矣。迨一問其講義，則瞠然莫答，至於屬文，尤非所習，是與生吞活剥者何異？夫生者生發之謂也，學石谷而爲石谷所囿，不能自立新意，則宜習梅壑，以求其生發之源。故生而能熟，熟而能生，二者相倚，而後大成。故初學當學石谷，學之既久，當學梅壑，從而取法宋元，自辟蹊徑，雖令石谷、梅壑復生，殆亦未遑多讓矣。

畫，美術也，應從美字着想。曰古茂，曰蒼潤，曰秀逸，曰荒寒，雖粗豪工緻，畫法不同，而各有美之觀念存乎其中。古茂者，氣味醇厚，色澤渾樸，是美之發於靜穆者也。蒼潤者，草木華滋，峰巒峻厚，是美之發於雄偉者也。秀逸者，沙明水浄，林木蕭疏，是美之發於清幽者也。荒寒者，枯樹斷雲，長空岑寂，是美之發於淡遠者也。總之觀畫者各各有好，作畫者應就性之所近而專工之。古茂一派，須令觀者生靜穆之想。蒼潤一派，須令觀者生雄偉之想。秀逸一派，須令觀者生清幽之想。荒寒一派，須令觀者生淡遠之想。質言之，凡製一幅圖畫，能引人入勝，斯爲美矣。

余年來教授學生畫法，立論不取高深。蓋高深之談，易涉虛渺。即以氣韻言，前人所論，往往謂得於筆情墨趣之外。夫畫，筆墨而已，而謂在筆墨之外，無怪解人之難索也。余之教人，獨取淺顯。淺顯則易引人入門，升堂入室，自不難矣。以學者猶瞽者，教者猶相者，道引得當，步履從容，積以時日，門徑自熟，無相亦能行矣。然則氣韻云者，當作如何講？曰易耳。凡畫山水，不外鉤、皴、染、擦、點諸法。鉤、皴、點，能畫者皆知之，惟染、擦得法，氣韻出焉。輪廓既定，以墨渲染，是氣韻發於墨；渲染未足，再以筆擦，是氣韻之發於筆者。故氣韻全在筆墨之濃淡乾潤間，何必他求哉！

有以氣韻爲問者。夫氣韻本乎天然，古人論之詳矣。初學每以渲染可以得氣韻，是由墨中得氣韻也。氣韻由用筆中流露而出，乃爲上乘。此非有數年或十數年之功夫者，未足以語此。氣韻本乎個性。一人有一人之面貌，即一人有一人之個性。個性不同，則所作之畫氣韻亦不同。讀萬卷書，則見解高超；行萬里路，則胸襟曠達。有此種見解，有此種胸襟，則用筆自不同凡響，所作之畫，烏有不高尚者乎？若夫鄙卑者流，胸襟隘陋，縱渲染得法，而氣韻亦無足觀矣。談氣韻者，當注意於此。

畫之可傳，全在氣韻。無氣韻之畫，工匠而已。蓋氣之來源在乎筆力，而韻之流露在乎修養。故畫家修養，最不可忽者也。讀萬卷書，修養也；行萬里路，亦修養也。舉凡聲色貨利，均不可令其擾及性靈，而作品自然高古。然人之個性不同，其所發揮者亦異。若者渾厚，若者瀟灑，以及静穆、幽淡、茂密等等之差別，一觀其作品，則其人之個性若何可以立判。故畫家之於作品，非僅下苦功而已足，對於平時修養，尤爲重要。

寫字須有丰神，作詩須有格調，畫畫須有氣韻。丰神、格調、氣韻，乃天資賦與，非學力所能致也。學力所能致者，乃其規矩法度。苟能盡知，固可左右逢源，無所不備；然一語夫氣韻，則終有一塵之隔。石谷名爲畫聖，終爲能品，雖其博學多聞，集南北二宗一爐而冶之，有足多者，而其丰神氣韻，較諸南田尚遜一籌。非其藝有未純，乃畫之品格低也。

謝赫六法之論，首列氣韻生動。蓋氣韻生動一語，包括畫之全體。譬如一畫張之壁間，覺其美妙者，氣韻之生動也。氣韻生動，本乎生知，發乎天禀，流露於筆墨之間。故其作品雄厚秀逸，均可表現其特殊之精神，無不由作畫者天禀賢愚而分也。謝赫列氣韻生動於六法之首，豈無故哉！乃後之論者，不明畫之真理，徒以模移傳寫當列首位爲言，未免所見者小。

作畫以得神韻爲佳，不必刻畫之工也。五日一山，十日一水，工則工矣，然過於拘謹，每鮮神韻。細尋筆跡，毫髮靡遺，總觀全局，失之整飭。所謂能品，非神品也。

筆之繁簡，墨之濃淡，各得其宜，是在細心體味，則畫之道亦思過半矣。夫景物之理，本極精妙，人之探索，豈易盡哉？古人見景生情，借筆墨以抒寫其胸中之逸氣，入神渾化，前呼後應，宛然天造地設。此皆意之所貫通，慘澹經營，其成功焉，不可以歲月計。總之有意求之，摹擬既久，自然傳其神而得其形。所謂心領神會，則筆墨氣韻，自見靈妙矣。

胸有丘壑，方能奔赴於腕下。勤賞名跡，自能得應於心手。胸羅焉，鑒賞焉，要皆觸諸眼簾。不論其天然與人造，無不加研求探索之功，窮其奧窔，極其底藴，自然神明於法，既不爲法所囿，又不至流無所據。古人神逸之筆，既能於無筆墨處，顯出情真景真之活潑形影，其形容之妙，斷斷乎不爲畦徑之所拘也。如笑喻春山，滴比夏山，粧譬秋山，睡題冬山，山果能表示其形容乎？以山不能自言其意，假人以言之。人豈真能言哉？亦以己之意而合山之意，抒寫其四季山之所以爲山，及四季山容之趣耳。

由神奇而入平淡，全在筆意静逸，氣味幽雅，脱盡雄勁之習。此種筆法，非深造乎其詣，不能臻此妙境；亦非深得造化天機之理，不能達蕭散逼真之妙趣也。若是則天然圖畫，自能流入於人間，所以瀟湘、洞庭諸圖，一展卷而恍若身歷其境，景色已遇諸目前矣。此即以造化爲師，然亦須平時多讀詩書，多看名畫，決非一朝一夕所能奏此功效也。

自唐宋以迄明清，南北二宗，各窺其奥。益以讀書養氣，朝夕摹寫，焉得不精？畫有六法，一曰氣韻生動。氣韻非可學而至也，必也天資聰穎，所閲者多，熟而不熟，自有一種清穆冲和之氣，冷雋秀逸之致，生於筆墨間，斯即氣韻之謂也。常見頭白畫師，力非不工，學非不勤，筆墨純熟，動輒纍紙。然非劍拔弩張，霸氣撲人眉宇，即是丘壑尋常，筆墨甜俗，不然則野狐禪矣。是無他，有學力而無天資，有天資而所閲古今名跡少，又乏讀書養氣之功也。

凡畫圖，宜令讀者有寧静之意。山水中點綴之品，大都板橋村渡，野屋茅亭，人物則漁樵耕讀，最爲普通。古者不乏高堂大厦，貴官顯宦，而多不入畫，獨畫此貧賤生涯者，以漁也、樵也、耕也、讀也，與居城市而争名利者相隔絶，超然物外，何等自在。讀畫者身既不能離城市而幽居，而心又厭城市之喧囂，懸畫幅於室中，偶然静對，恍若一洗其名利之心，引入山林之遊，養性怡神，聊以寬慰，是圖畫者，療人煩惱之清凉散也。審是作畫者在在能體貼寧静之意，筆底自然流露静韻。或曰：秋冬景易静，春夏景難静。殊不知空山無人，水流花放，其静如何？陰陰夏木，聽囀黄鸝，何嘗非静？衹要畫無火氣，自爾傳神。或又曰：仙人樓閣，金碧輝煌，何以亦覺有一種静韻？余曰：此又當别論。既稱仙山，則崇樓傑閣，回廊曲折，盤山而上，已使讀畫者心目中具神秘之想。加以樹林鬱茂，白雲封鎖，若隱若見，意在虚無縹緲之間，則更爲神秘矣。故雖金碧樓臺，輝煌中仍覺寧静也。作此種圖畫，更宜體貼此意，巧爲穿插，而於雲樹掩映中力求其静穆，斷不可使樓閣全露，令人一覽無餘。此一畫訣也。

自來逃名之士，每多以筆墨抒其性靈，寫其懷抱。雖或鳴高自若，寄傲閑情，而英華外見，無不臻其絶妙，雖寥寥數筆，直可歷萬世而不汨滅者，此蓋繪事中之能手，最足顯著者也。自元而明而清，五百餘年，以畫名世者不乏其人，然撮其要，大都屏絶聲利，視富貴如浮雲，藉此精心一志於繪事，以潔清自矢，至純不雜，將與天地、日月、山水、煙霞同其千古。此豈應世媚俗者所可幸致耶！

作詩須有寄託，作畫亦何獨不然？旅雁孤飛，喻獨客飄萍無定也；閑鷗戲水，喻隱者徜徉肆志也。松樹不見根，喻君子之在野也；雜樹峥嶸，喻小人之暱比也。江岸積雨而征帆不歸，刺時人之馳逐名利也；春雪甫霽而名花乍開，美賢人之乘時奮興也。隨時隨景，隨事隨物，布置之法，有賓有主，真意夾寫，無異乎作詩之寄託寓意，以顯出物物相當，筆筆相宜，既無拘泥板笨之失，又無過與不及之弊，斯真畫手矣。

畫學用筆，以有力量爲上，固矣。然再進一步，須有韻味，不可信筆。蓋信筆直拖，力固有而乏韻，乍觀之甚佳，而細一推敲，毫無意趣。故畫有耐看不耐看之分。有韻味之畫，如曾子固之文，百讀不厭。有力無韻味之畫，如蘇東坡之文，一瀉千里，未留餘意也。明末清初一般鑒賞家，對於北宗畫不甚提倡，即以其韻味少耳。

宋人北宗畫，多尋丈巨幅，用筆生辣，而丘壑之曲折，氣勢之雄壯，洵有非後世所能摹擬者。如故宮所藏馬遠、馬麟之巨幀山水，夏珪之長卷，皆其例也。外國人畫中國山水，筆力本弱，畫南宗韻味不足，於是又摹仿北宗，徒襲其貌，實無其神，一望而知其爲特種北宗山水。此種界限，在常觀古畫者無不知之。蓋一筆健、一筆弱，一氣壯、一氣餒，一丘壑古茂、一布置小巧而已。故學北宗山水者，應常觀摩馬、夏之巨幀，不可爲此派北宗所誤也。

古人畫有云：下筆便有凹凸之形。人皆以爲此説最難索解。其實何難解之有？凡畫有根底者，攤紙几席間，凝神對之，意之所在，紙上已仿佛若有山川隱然浮起，凹者凹，凸者凸，迎機寫去，便爾顯然畢現。意在畫先，此之謂也。

作畫之法，不在於搦管時之思索，而在未落筆時凝神静氣，將上下左右、四面八方、來往遠近，籌運於胸中，則落筆時自不難濃淡得宜，東呼西應，水到渠成，有不期然而然者。若專以取悦於人，與俗人同其嗜好，雖能竊獲一時之虚名，不旋踵仍歸於泡影矣。學者苟能萬念皆空，將名利心一概洗盡，平昔惟知造化，於我心懷印入造化，不受筆墨之累，不存媚世之心，則自然入於神妙矣。

畫固以氣韻爲先，然畫境之位置，亦不可不講。所以昔人脱盡作家習氣，而能得意象外。時流竊取士人氣味，以圖藏拙欺人。惟神明於規矩者，自能變而通之。故善師者師化工，不善師者撫縑素。拘法者守家數，不拘法者變門庭。

山水之難，莫難於意境。筆墨非不蒼古，氣韻非不渾穆，章法非不綿密，一落窠臼，便是凡手。清初四王，麓臺最遜，以其意境凡近，千篇一律也。是故善畫者，不須重山峻嶺、茂林修竹，即一樹一石、一丘一壑，落想不同，下筆自異。嘗見宋元人小景，柳塘日静，花塢春深，數椽茅屋，三兩幽禽，令人對之神遠。較諸時人之千岩萬壑、一望索然者，有上下床之别矣。嘗見郭河陽《早春圖》巨幅，燕文貴《秋山蕭寺》長卷，峰巒起伏，樓閣索回，綿密深邃，其難而不可及也。遂一變刻畫鑿露之習，而爲荒率簡易之法。倪迂尤爲知機，專事殘山剩水，以鳴其高，此藏拙之一道也。然今之學者，固不可以元人之簡易而忽之，宋人之繁難而畏之。蓋元人之簡易，乃自繁難中得來，不習宋人之繁難，又豈諳簡易之妙哉！

美麗之容，尺寸之制，陰陽之敵，纖微之跡，活潑之形，隱顯之象，隨物含蘊其法理。法理既在，可得而研求。古人筆墨，毫釐寸楮間自有法理在焉，學者要自窺其秘奥可也。是故象物必求乎形似，形似亦全在乎骨氣。而骨氣、形似，雖歸諸用筆，而要本於立意。所以畫中用筆，固屬緊要，而畫宜立意，較之用筆尤爲緊要也。意在筆先，爲畫中第一要訣也。倘毫無依據，縱或得其形似，而氣韻不生，何六法之可言哉。故畫宜其造化在心，而欲其造化在心者，非窮其理，盡其性，物格、知致、意誠，不能臻此造化在心之妙。理路分明，出神入化，畫法備而畫義精。平昔熟諳於胸中，臨時自能臻妙於指下。如此用意，如此用筆，則物無遁形，筆無誤落。其神妙處則山水自山水，煙霞自煙霞，景物自景物，有超越乎筆墨之外者，祇在維妙維肖耳。而其神其理，豈徒拘拘乎形似哉！

作畫以有氣勢爲上。有氣勢則精神貫串，意境活潑。否則徒具形式，毫無精神，死畫而已，有何趣味之足言！蓋用筆有力，初學多能及之，而第一筆與第二筆，筆筆氣勢相連，此一部分與彼一部分，處處勾搭相貫。非於此道三折肱者，不能得其奧妙。所謂有氣勢者，指全畫成一整個團結，精神之團聚，使見之者無懈可擊。此固非死描成稿者所能夢見，即用筆欠活潑者，亦不能得其端倪也。無論學畫與看畫，與此等處須格外注意焉。

伊古各大家畫法，雖或各各不同，而其用筆用墨，要皆各有師承。至於神韻之生動，氣脉之雄渾，在在與筆墨有密切之關係。筆墨精妙，不求其傳神而神自無不傳矣。神韻氣脉，古大家各有精詣，雖曰秉資靈敏，然亦博覽所致也。工夫宜久，而筆墨自妙者也。學者能領取此中微妙，自可躋於作者之林。再加以學力，自可臻登峰造極之境。迨至工夫精熟，雖零亂散漫，疏密濃淡，而一種蒼莽之趣溢於紙上。如石谷子取各家之長冶於一爐，名家之筆墨神韻，一一宗其南北兩派，集其大成者也。靈心妙指，真不愧爲一代畫聖也。

率爾操觚，不特精神未得，恐形式已非。得心應手，既能入於神化，復得超乎象外。畫家之筆墨，其生氣勃勃，非研究有素，熟於胸中者，安能怡人之情，悦人之目？更不能於作品上表現其輕重遠近、淺深濃淡，處處得宜，有自然之妙哉！故至神妙處，無論其爲山爲水，爲人物，爲禽鳥，一切有象之物，自能得其神，不拘其形，而形亦無不肖似。此即所謂無意不眩，無法不備，無美不盡。即極物之體，盡物之神，得物之趣，逸筆草草，而天機亦復自然，絶非淺率學子所能企及也。即名家作品，有時不在乎工緻，在乎筆墨之外有筆墨，情趣之外有情趣，所謂意在筆先、筆到意隨者是也。若鹵莽滅裂，率意逕行，平時無揣摩簡練之工，臨事自難有得心應手之妙。

畫中之山水，猶文中之散體也。畫中之花卉、翎毛、人物，猶文中之駢體也。不論其爲散體、駢體，精煉純熟，要皆入情傳意，方見體裁之適合。而畫之山水、花卉、翎毛、人物，亦何獨不然。雖有一定粉本，而亦得之於情意，淺深層次，部位形色，無不入於雅而不流爲俗。此所謂得心應手，由於有情有意之所致也。

作畫起手，須寬以起勢。若局於一隅，則筆筆無生路矣。故有不用輪廓，而專以水墨烘染，是實雜凑，無論如何，即畫成後，亦無奇矯聳拔之氣。此之謂有墨無筆，畫中之下乘也。故峰巒拱抱，樹木向背，先於布局時盡情安置，通盤全局，着筆處曲盡其意而傳出，無一筆不合畫之情，無一筆不盡畫中之意，然後逐漸烘染，由淡入濃，由淺入深，結構之完密，有自然而無强致。古人名筆真畫，雖或有未盡出色，而遊行自在，意趣之顯露，情致之雅逸，確於人眉目間瞰出。雖當時若不經意之作，不知情意運用，曲折顯露，有出於不期然而然者矣。其神態活潑，其墨瀋淋漓，不論何種，無不逼似真相。此其故在未落筆之前，布局無一毫之牽强，故其風骨自與尋常畫家迥不同耳。

古大家之名跡，即信而有徵。對於真跡之中，要在着意不着意、傳情不傳情，或是臨摹舊本，抑或自出心裁，創爲情意之構造。故有着意而精者，心思到而師法古也；有着意而反不佳者，或於矜持而執滯也；有不着意不佳者，草草不工也；有不着意而精者，神情之化也；有臨摹而妙者，若合符節也；有臨摹而拙者，畫虎不成也；有自出心裁而工者，機趣發而興會佳也；有自出心裁而無可取者，作意經營而涉於杜撰也。此中意味情致，慧心人愈引愈長，與年俱進。若扞格者，畢世模糊，雖用心專致，亦不能獲益於萬一也。所以畫學雖屬小道，列於藝術中爲最高尚者，因其旨趣之深邃，學理之高妙，其底藴似淺顯而實精微。從可知遊藝一端，爲至理之所寓，而人之習焉，不可不察。吾人學畫，萬不可以畫之爲畫，不過玩物適性之事，是當以察其理而窮神，探其微而揆要，盡其義而悟真，内外交養，本末兼賅，則得心者，自無見有强致假借之弊，所謂應物有餘，而心亦無所放矣。

留心於平昔，斯無臨時臨事措置失宜之病。其於筆墨縑素之間，無不周旋得乎其當。放心之失，潛移默化，涵泳從容。夙昔不容有一毫之少懈，用筆則自爲天機之顯露，則對於内者無不盡，對於外者無不周。凡伊古來名畫大家，不論其爲神手、名手、高手，皆從此功夫而底於成。其存養之熟，無適而非天趣之流行於胸中者也。然不特古之畫家神手、名手、高手爲然也，即吾人從事於繪素之事，美質文飾之既精而且逼真者，亦全在功夫之久、涵養之深所致也。故欲求升堂入室者，舍此外自無他求。學者之於畫，苟能規摹，由心得變化，無拘泥，神韻自顯，獨絕佳妙之手也。推其原，要不外致力之功、取資之深而已。工夫既到，造詣自深，信不誣矣。

成規熟諳，智巧自生。得其形似而不失規矩者，盡其規矩而發抒思慮者，隨其品類，而形神無不見。其活潑情景，亦足顯其逼真也。其功夫涵養，必有素矣。是以學者之作畫，固不可自裁而無師法，亦不可拘守不變而泥古法。古人與我以規矩，而巧妙之奏效與否全在乎己。無論古人已往，即古人復起，亦豈能使學藝者智巧克盡其美哉！夫所謂智巧者，不外援古人之成例變化之，神通之。構造規矩，用筆用墨，或濃或淡，有縱有横，若隱若現，窮造化之變幻，極心思之靈妙，循古人之舊章，參一己之新意，既不敢創作自矜，復不肯食古不化，尚其實，不務其虛，神化莫測，具有法門，其淵源有自來矣。蓋探索於古法既深，師資乎化工又久，巧思不期其啟發而自啟發矣。

伊古來畫藝界之大家無一非師承前人，而亦寓法於天地之化育，用意有獨到之處。可知致思之高，用心之深，目光之巨，心手之應，一筆一墨之施，無不有神有理。其精神之所寄於寸楮間者，歷千百年而不滅。今日藝術中不朽之畫品，皆昔時古人當日精神之所寄也。學莫患喜新厭故，習畫亦何獨不然。習畫而欲矯古人之意，驚眩世人以爲新創，此實釣名沽譽之徒，不足以言學，更何足以言學畫？究其極其不爲刻鵠類鶩者，吾未之信也。古來畫家之成名，何嘗以前人之規範爲不足法，而離奇獨裁，以爲千古未有之特創。不知畫學一道，本係文人學士寄懷適性之藝術。前者之絕大畫品，依據於古人之法窮變而通之，即今日之偉大畫品，何莫非由前人努力造成之基礎而來也。如無所依據，遂可謂之特創，則兒童之胡亂漫塗，亦可號爲特創大家，有是理哉！即援引古法，將古法所未盡者而盡之，就其古法所隱露者而變化之，不即不離，滙成巨然畫品者，亦不可謂之特創，謂之自成一家則可。我國畫家，代有名人，從未有以特創聞。雖然沿襲剽竊者固非，改弦易轍者亦豈是哉！六法三品者，本爲作畫必知必循之門法也，何必矯矜己見，捨此不爲，目空古今。是必離奇怪誕，以欺世人，非誤盡終身不止，是胡爲乎爲學者斷斷乎不可存此心也。

今人學畫，纔能握管，便好大言，輒曰創作創作，而不知創作者非徒逞狂怪、胡亂塗抹之謂也。創作重在構局，一幅寫成，要出人意外，而仍在人意中。出人意外者何？唾棄常蹊之布局，特辟新奇之境界，令讀畫者神遊其間，快樂而生奇趣，悠然而動遐思。畫至如此，神矣化矣，非一蹴可能幾此境也，必也幾十年從事於古本之臨摹、真境之研究，心領神會而集大成，始運用其思致之靈機，而發筆墨之異趣，非苟焉而已。仍在人意中者何？畫境雖奇，畫理皆富，無背謬之處容人指摘，則奇而正矣。董北苑《萬木奇峰圖》，於崖嶺最高遠處陡起一峰，如華表，如石筍，直立凌空，疲削巉絶。嚴滄醅山水，畫一古藤，蔓延糾結，蟠兩山頭，一人崎嶇攀援而下，斯爲真奇，斯爲創作。今人所謂創作者，有此思致乎？有此魄力乎？

夫人不欲習畫則已，如欲習畫，當力學修業，時對於古人所傳之真跡，前修之傑作，潛心揣摩，静觀臨法，以求自得。或於天地自然之畫境，呈諸目前，若晦明風雨，若陰陽向背，若朝霞暮煙，若水天相應，以及雲物之流行，四時之景色，一一存之於心。所謂目想毫髮，無纖微之遺失，即所謂無時無處隨在自爲培養其業，以涵養其學術與工夫。其參考之資，全在平日之養氣，運熟於心目之間者深且久矣，造詣之精深，固非一朝一夕所能臻也。具有學力，則臨事時將夙昔久印於腦者，徐徐揮灑，無不寬裕自如。法於古人，師於造化，在無意之中揮出，有不自知者矣。

世間事務，皆可作新舊之論，獨於繪畫事業無新舊之論。我國自唐迄今，名手何代蔑有？各名人之所以成爲名人者，何嘗鄙前人之畫爲舊畫，亦謹守古人之門徑，推廣古人之意，深知無舊無新，新即是舊，化其舊雖舊亦新，泥其新雖新亦舊。心中一存新舊之念，落筆遂無法度之循。温故知新，宣聖明訓，不愆不忘，率由舊章，詩意概可知矣。總之作畫者欲求新者，衹可新其意。意新固不在筆墨之間，而在於境界。以天然之情景真境，藉古人之筆法，沾毫寫出，發揮時氣韻流露。氣韻流露，則藝術自然臻高超矣。夫如是品格之高下固在乎意，意得則自見活潑潑地，出神入化，理顯氣充，拔俗出類。其意趣之表現，即個性之靈感也。故論畫者，要先知其意之所在，觀畫者亦要探索其意之究屬。觀畫論畫，既在乎意，而學者之習畫，可不注重於意乎？意之注重云者，是對於入手時將化工與古法不即不離，有規有程爲要。王麓臺有云：不在古法，不在我手，而又不出古法我手之外者。此即注重於意之明徵也。

學者落筆，能本於意而發揮，當可臻於妙境，更進而能於無意中傳出有意，則其神妙處，益不可以言語形容其所以也。發於意者，其筆墨運輸，濃淡疏密，隨手構造，曲折境界，自能如其心之所致。所謂如是我想，如是其形；如是我揮，如是其境與景也。如是則無有乎不當，如是則無有乎不形其活躍者也。處處露其天真，即處處得心應手也。若爲已足？若爲未足？若爲其已足者，審視之，含有未足之者；若爲其未足者，細味之，實有無可增加。天機之勃露，超于筆情墨趣之外。其描寫也，若有出於有意無意之間，使人静觀，皆得其宜。古人手澤，多有神妙莫知其所由，甚或有草草不經意處，而其筆法之玲瓏，氣韻之神妙，克奏自然之效者，端賴不泥其跡，不遺其神，即無意中傳出有意者也。莫謂怡情適性，文化之精神寓焉。莫謂繪素微事，國粹之精華在焉。莫謂藝術無關乎學業，個人之心思知能繫焉。莫謂畫形圖影，徒供賞悦，生物之仁心化育托焉。繪學之表徵，其筆墨無不具，其功效無不周，烏可視遊藝無關乎世運哉！雖然，人當潛修學藝時，凡賞心悦目，隨時隨地，皆得趨向，斯隨筆隨墨，運轉無不自如。其超物外者，日處天然自在之中，而不自知覺其所以也。

夫所謂自然者,開合起伏,闡明至理,有矜有式,有體有用,斷續隱現,綿亘疏密。既無拘束失勢之弊,又見精神畢露之真切。天然湊迫,淋漓盡致,東呼西應,參透筆墨造化之理。其所以克奏自然之效者,端在夙昔凝神静氣,深沉砥礪,培養而成也。至下筆時,在乎着意不着意之間,則上下左右,轉折相應,自無不當。此意之所以補筆墨之不足,顯筆墨之妙處者也。平中求奇,綿裏藏針,虚實相生,亦在乎用意及用筆用墨之先。故求畫要向意中研求,如捨意求畫,將何能達理、氣、趣三者之精妙哉!所謂寫畫者,寫其意也。所謂作畫者,作其意也。若徒寫其形似,而不於實在處曲曲傳出意象,徐徐描寫其精義,其能免浮華之習者,吾未之信也。必也平時取材,對於天然之物、天然之景,皆爲我心所照,景物之實在,即自我心。我心藴於内,照於景物而映於外也。内心之感應,即景象之表現。

表現自我,則景物之情形及景物所生之情緒,皆自我感應,而表白其景物之所以也。倘遇古人真本,當殫精竭慮,先搜求其命意之所在,探得其定意之何若,然後審察其構造如何,出入如何,斜正如何,位置如何,以及用筆用墨,表裏之如何相形而合也。萬不可率意妄作,師心矯異。必也循循然細心揣摩,静默抒出,法於古法,化於造化,神通之，變化之，承傳繼美，光大發揚，真精神之勃然，露生氣於紙上，實由於取法之自然耳。魄力沉厚，氣韻靈異，化工而畫工發焉，畫工而化工寓焉。天地間生存禽走花果，山静水動，以及風雲雪月之遞變，寒暑陰陽之起伏，畫家之心思手法，即是天地生存物物之心。無論其若何變滅，若何虚幻，凡目能窺，心能通，手能摩，物物不能外乎畫家。而畫家之心思才力，猶之物物生存之形也。所以畫家之心目，歸於化工之極致，其盡善盡美之施出，既非可强致假借，尤其由來者漸矣。是殆所謂景物形象之外無我，我之外無景物形象也。易言之，則景物形象可作我觀，我可作景物形象觀也。古人作畫，先定其命意；命意既定，然後布局，然後運筆，然後用墨，然後抒出種種方法，然後發揮其心之所致，然後畫其物物各得天然之形狀。不於筆墨寸楮之間求其異，而於境界景物之中求其新。故欲争畫院中列一席者，當以古人之筆法爲法，寫目前天然之真境，傳自在形物之精神。董思翁有言：不讀萬卷書，不行萬里路，不可以作畫。由此而推其意，學者作畫，不多讀書，不多遊名勝，不多觀古人名跡，不特不能作畫，並未許其作畫也。何以故？蓋學者作畫，須求其雅，啟發其心思，進入於高明卓識，進底於成斯而已。讀書所以去其俗也，遊名勝所以擴其智慮也，觀真跡所以求巧妙其心思而精其藝學者也。

夫感物而動,情即生焉。即景拈毫,得陶情之助者,俗慮默化,煩襟滌除,揮灑其胸中之萬象,情真形真,克奏其自在之神妙,以表現其原有個性,而發其安閒寧靜之常態。所以然者,蓋其積之既厚,而蘊之又久也。雖然囿於聞見,拘於局隅,自非學者所宜也。必也平時一室潛修,默參至理,是當朝夕研求,無論暑往寒來,不容有一息之或懈。則久而久之,筆之用傳於神者,自入於妙境。學者到此程度,舉凡陳跡之拘牽,及形似失真之弊竇,潛化於無形矣。夫古人名跡,觀測本非淺易,雖曰真僞之分,須辨其神氣,而尤要探討其淵源,玩索其宗旨,因委窮究,將古人之筆意所在揣摩透澈,則未有不得其神髓者也。明之王、沈、文、唐、董,清之四王、惲、吴,皆深於畫理畫法,其論畫足以闡發古人,昭示後學。是爲吾人藝術學者,入歧途之指南,渡迷津之寶筏也。故欲摹古人之墨蹟,須兼讀古人之畫論。何也?蓋不讀古人之論,不免有拘泥形迹,或亦難得諸心者。究其所以然之故,無他道也,亦爲畫理之精微,畫學之廣博耳。是殆所謂於有筆墨處當研求之,於無筆墨處當領會之者非耶?不然者,徒恃天分,而不以學力輔行,則奚能契其微而造其極?徒有學力而無天分,亦不過畫其影,圖其形。所最要者,天分與學力兼到,則鈎勒之勁逸,皴擦之鬆靈,氣韻之渾厚,色澤之古雅,達此境界,其功夫克奏，有自然矣。

古今之論畫者多矣，然就論畫者所述，不外以神、妙、能三者評定其品格。

夫畫者之心思才力，精神運用，意匠構造，窮天地之所至，顯日月之所照，縱横千里，經緯萬端，上下高低，八方遠近，動植飛走，有形有象之物，若隱若現之景，無不一一含蘊胸中，展之腕底。雖高諸天空，遠若千里，一入畫家之眼，即可縮之於咫尺之間。可見畫家之筆墨，無處不露其生氣。凡興會之所至，染翰揮豪，與造物争奇，洩天地之秘。蓋以天地間有形有象之物，起伏變滅，動静生植，奇異萬端，畫工之妙有奪造化之功焉。

夫畫工之妙，妙於萬物之各得其形，而並不可以言語形容。惟化工之妙，蓋妙於寸楮間傳出天地生物形象，達於化工之生理，無或有不到者。所以古人之畫，於風雲之出没，山水之變化，禽鳥獸類之飛走，樹木屋宇之隱約，樵者漁者之徜徉自如，或雪月風雨之暈涵，或寒暑晦明之來往，或陰陽向背之顯露，其筆神莫不達其周詳，其筆力莫不見其渾然。所謂魄力沉厚，氣韻虚靈，生機流行，形神逼真，且出於自然，無一毫之假借。此無他，心焉，手焉，筆焉，無一處不到者也，真所謂一以貫之耶！

初學作畫，求妥當，求平正，措置裕如，能事畢矣。不知學問之道，當日新而月進，否則陳陳相因，毫無藝術之價值。此熟後求生、亂中求整所由來也。作某種畫，練習既多，熟則熟矣，然熟練既久，甜味增多，不免流露俗態。雖用筆如丸，而必惜墨如金，處處求不落恒蹊，久之始有生拙之趣。故所謂生者，非不能之謂也，實不肯過露能意，乃爲得之。至於整者，原係平正之成功，但平正之極，難免板滯，際此程度，用筆當力求活潑，用墨當力求變化，蒼茫歷亂，是所尚焉。無如筆墨放縱，草率之弊生。於是當在筆墨歷亂之中，力求不失規矩。故作品之精神，有活潑之意，而亦有嚴整之意也。知乎此，則畫之程度又進步矣。

作畫蒼莽與荒率，往往相形，而精神愈覺逼真。古大家荒率蒼莽之氣，皆從乾筆皴擦中顯出，蒼渾古秀，飄飄然有凌雲氣，真天仙化人也。故惟其荒率，乃益見蒼莽；而益見蒼莽，則神采之活潑，自然之景物，無浮動板滯之俗，有情景畢露之美。所謂隨手變化，而無一毫痕跡之嫌。能到荒率地步，方是畫家真本領。

戴文節公詩、書、畫稱三絶，間作跋語，尤爲雋永。故能畫貴在能書，尤貴詩文。即使一樹一石之微，倘書法卓越，詩文雋逸，即可情詞横溢，引人入勝。文節公畫絶少繁密者，而其簡净處，正其佳處也。然所謂簡净者，又非徒尚簡單而已。筆墨雖少，畫外之意趣實多，使人望之生無限新趣，斯爲得之。而章法新穎，尤爲要着。如鹿床册頁中，有下部畫一石橋，橋上立一儒士，而遠處煙水茫茫，白鷗數點，真有不食人間煙火之概。以視倪雲林之一開一闔，幽亭遠岫，不更增出多少新意乎？學者於此處最宜留意，比較觀摩，獲益良非淺鮮。

雲間畫派，秀潤清腴，根本北宗而用南宗，蓋其表面雖秀逸而不弱也。且處處仿古，並不失古人之精神，較之婁東派殊爲勝之，蓋北宗之根底深也。世人不察，每抑雲間而尚婁東，何其不深思耶？雲間派趙文度創始，而沈子居、陳白室、吴振之等傳其法，即董文敏亦以雲間畫法著名。若謂雲間派學問稍差，則董思翁文章經濟豈不及四王耶？故學南宗畫者，不可僅於婁東派内討生活，即雲間派亦須涉獵，庶乎上窺宋元，無困難之意矣。

曩者余仿唐楊異没骨山水，松幹用濃赭，松葉用石青，而上部山峰亦全用石青、石緑，且以泥金鈎其輪廓。蓋此種畫法，師法唐人，古拙之意，猶未足也。或有以過濃重爲問者。余曰：雲林疏樹遠山，原係文人之一種寄託。當元人入主中夏，士大夫之有氣節者，每不肯爲其所用，故放情山水間。偶於吟詠之餘，放筆寫茅亭遠岫，縱着墨不多，而蕭疏幽淡，逸趣横生。若初學以此爲法，必失之簡率矣。唐人之畫，多取法真景，雖覺濃厚，而衡諸真山真水，殊爲相近，不可以罕見而驚異焉。余多遊真山，中外遍歷，故所取法多真景，與古人畫法參之，因作是圖。

凡百事業，既在社會上有一種地位，必然具有特殊之精神，始能磨練而光大之。否則以口舌之長，宣傳鼓吹無真實之精神，未有能歷久不敗者。即以國畫論，在民國初年，一般無知識者，對於外國畫極力崇拜，同時對於中國畫極力摧殘。不數年間，所謂油畫、水彩畫已無人過問，而視爲腐化之中國畫，反因時代所趨而光明而進步。由是觀之，國畫之有特殊之精神明矣。

畫，有畫家畫，有士夫畫。畫家之畫，功力兼到，無一處不妥貼，即無一筆不穩健。士夫之畫，大半文人寄興之作，寥寥數筆，畫氣盎然。以功夫言，則畫家畫爲優；以氣韻言，則士夫畫爲上。此一般人所習知者。若細推求之，所謂士夫畫者，即簡略不能成爲畫也。世之所謂文人，曾多讀書，於書法一門有功夫，以寫字之筆意寫畫，遠岫茅亭，松陰草屋，雖用筆不多，自有一種生疏古拙之趣。其人如係大學問家、大政治家，其畫必傳，若係普通文學之士，此種畫必不值識者一笑。故初學作畫，當有縝密之心思，繁密之筆墨，變化錯綜，自有可觀。不必赫赫之名，其畫亦可傳諸久遠。若徒以狂放自高，是自欺耳，烏有進步乎？

士大夫之畫，雅則雅矣，終有難工之嫌。畫史之畫，工則工矣，未免近俗之弊。補偏求全，有士氣而兼具作家之工，規矩法度，無一不備，淡遠清逸，情景顯豁，生氣有不盡而自盡矣。

畫以人重，自古已然。蓋有畫家之畫，有名人之畫。所謂名人者，非因畫而得名者也，若者有特殊學問、特殊節操、特殊人品、特殊技能、特殊地位，已爲人所推崇，一旦寄意丹青，隨意點染，不必求工，而氣概自流露紙表。人以其學問、節操、人品、技能、地位等之可欽可敬，而於其畫尤視爲珍寶矣。如黄向堅、李長蘅、吴梅村、閔貞、戴文節、順治帝等，其作品均千古不磨者也。故余深望今之有特殊學問、人品、地位者，於正事外，偶注意六法，則將來流傳，定有若干幅有價之作品也。且也特殊人才之學畫，其畫與普通畫家不同，不必甚佳，即可名世。既係特殊人才，其胸襟天稟，自與凡品不同，隨意點染，必有特殊韻味。人以其人品之可貴，而更珍視其作品，此寥寥數筆，所以傳世不朽也。不特此也，而心神安逸，必能得享大年。蓋人之心神，無所寄託，必馳情於聲色貨利。惟作畫既久，心神安逸，雖有外騖，亦減低其成分。况畫能得趣，樂意方酣，縱稍涉無聊之酬應，必反覺乏味，而一意於畫，心神已安，所以能享大年者以此。今之社會特殊之人才多矣，何妨寄情六法，不特將來有作品流傳，即目前亦於心身有益也。

歷來畫家，多有畫訣，所以敘述一己繪畫之經驗，俾後學有所仿效，用意未嘗不善。但人之天禀不同、見解不同、環境不同，則於繪畫時之所經，亦未能勉强一致。故畫訣也者，祇可供學者之參考，非玉律金科，永不能變更者也。昔董文敏論畫山石，謂由細碎積爲大山。此最是病。在董派之畫，此法最宜，祇求整飭，不求變化，不妨全體鈎畢，然後加皴加染。然整飭之極，必形板滯，是以麓臺之畫，大半變化太少。小石堆積，開合整齊，千篇一律，苟非麓臺之氣韻古茂，則其畫不堪入目矣。

常讀古人畫訣，樹也如何，山也如何，屋宇之如何排列，瀑布之如何穿疊，已不能適合後學之取法。乃近世好事輩，又將古人之畫訣整理之，樹石泉屋，各爲一章，論樹木規律百出，論山石派别迥異，不知説明某家畫之本體，始有如斯之畫訣，而廣事搜羅，不加論斷，其不亂學者之心緒者幾希。故學畫者對於古人之畫訣，不必刻舟求劍，須知某人之畫屬於何派，其筆墨若何，氣韻若何，布置若何，徹底研究之，研究所得，再讀訣，自迎刃而解矣。

畫法與書法之精神，能表出一生福澤。如翁同龢之字，大氣磅礴，居然狀元宰相氣概。鄧完白之字功力甚深，雖屬神品，以視翁書，福澤不逮也遠矣。四王之畫，其氣韻均不及南田之清逸。然南田氣韻薄，靈秀有餘而深厚不足，故南田一生冷淡，享年不久，身後蕭條，葬事咸賴石谷爲之經營。石谷畫入能品，作品甚多，往往蒼茫歷亂，變化萬千。在藝術方面無所不能，在精神方面失之於巧。惟氣勢尚長，故得享大年。煙客之畫，寓巧於拙，筆墨雄厚，初見之似平淡，然耐人久看，精神暢達。祖孫福禄，久而益彰。由此觀之，人之福澤有定數，書畫者即可以表現福澤者也。

學畫當先學鑒别。能鑒别古畫，雖不學畫，而其論畫亦必精確。故不學則已，學則超越常人。因其目中有畫，祇手生耳。苟能日日講習，不出三月，必有可觀者矣。常見髫齡學畫，頭白不成，且愈畫愈入魔道。此無他，心中無畫，目中無畫也，則其人不精於鑒别也明矣。安有畫不師古而能自抒機軸者哉！

古之精鑒别而以收藏家聞於世者，雖不必盡能畫，而其能畫者率皆鑒别精確、收藏宏富之人。米氏之書畫船,董氏之畫禪室,項子京、孔彰輩,皆其最著者也。

鑒賞一道,最爲困難。近世所謂鑒賞家,每視贋鼎爲真跡,又爲利之所誘,信之不疑。於是某畫爲某鑒賞家所得,原價若干,售出價若干,一般人視其獲利也,更艷羨之,而其精鑒別之名譽乃能蒸蒸日上。余竊以爲不然。蓋其能真鑒別者,必須有三種資格,否則未能得其真詣。第一須能作畫家畫。畫家之畫,必須經過若干甘苦,始能成功;非若書家畫,隨意點染,即可名世。既經過甘苦,則於畫道當然洞悉矣。第二須多見古人真跡,多收古人作品。然多見多收,非經濟充裕者不能,否則無機會可以見,更無論收。且曰見曰收,必須用自己錢買過,真也假也,始有透徹之把握。徒見不收,煙雲過目。第三須文學有根柢。古董商亦多富有經驗者,衹文學太差,對於題記等項往往忽之。此文學尤關重要也。三件缺一不可。由此觀之,鑒賞豈易言哉!

淡泊寧静,是無名利存諸寸心。作畫者亦將名利二字投諸空中,刻意經營,專心求工,以成其名者。此有志於古人而終能得名者也。古人之名畫,往往有不署姓氏者,不似今人之屑屑焉必欲見之於人。故畫之有名與否,及畫之入於神品、逸品、妙品與否,全在作畫者之名利心之輕重而定。倘爲名爲利,不特不能於畫界中得列名於後,即所畫尚能入傳情表意之名手乎?

古者士大夫作畫,原爲陶冶性情。讀書之餘,寄意丹青,無論工細之作,或寫意之筆,均由性靈中寫出。其作畫時氣静心平,神凝意爽,故其作品書氣盎然。而作畫之人精氣快愉,其所以能享大年者以此。今之作畫者,意專在利。利之所在,無論若何之卑賤,均樂取之而不顧,性靈書味,全不知之。畫品既下,畫格烏能超脱乎!

人之學畫,每喜速成,數月不進步,即生煩惱。此不知國畫之精神者也。一學即成功,絶無良好之成績。數年或十數年、數十年之磨練,始見進步者,絶不能失敗於一旦。蓋功力既深,必確有所得。即藝術之本體必有特殊之精神,進一步焉,更有一步以相引,雖不見成功之迅速,而無形中必大有進步者在也。

吾國數千年之藝術,成績斐然,世界欽佩。而無知者流,不知國粹之宜保存,宜發揚,反腆顔曰藝術革命、藝術叛徒,清夜自思,得毋愧乎!

厭故喜新,爲學者所最忌。蓋學問無窮,惟恒心乃能集益。繪事一門,雖曰小道,然亦學問中最高尚、最清潔之事業也。故作畫之最忌者在無恒,在好奇新。無恒則淺嘗輒止,不免支離,反乎古人之成規,必至刻鵠類鶩,貽笑士林。

學畫者總貴虛心集益，細心探討，何患不得其精奧，而達其純粹之境哉。所最可患者，功夫未到，學力未精，遽爾貪利問世。此躐等之弊，縱能竊獲其形似，而精神盡失。既不能參透三昧，復何能入神、妙、能之境域哉！必也殫其慮，壹其志，奮其心，竭盡數十年之經營，約守博取。久而久之，功到神化，用之以濃墨，則焕然生色，寫之以淡墨，則悠然意遠。

無論何事，躐等者必無良工。况繪畫爲至精之藝術，精意求深，尚未必成績優良，倘躐等以進，苟簡是圖，縱天資優秀，亦不過欺騙一時。迨時過境遷，聲價一墮，遂無人過問矣。王椒畦在當世，蒙諸鹽商之吹嘘，名譽日隆，山水十幅居然易屋一所，時人重視其畫，可以概見。平心論之，其作品氣有餘而韻不足，草率而成，難持久遠。果也身後而畫名大損，降至近世，鑒賞家不予收藏，可浩歎哉！嗚呼！居今日徒知細筆弱描，冒稱學六如，減筆小幅，自名仿北宗，祇欺不知畫者，恐不必身後，而其作品將無人重視也。

北樓論畫

北樓論畫

余從事畫學幾三十年，無一師承，或聞之，鮮不以爲異。然溯自晋唐以來，凡工繪事者，罔不出於閉户自精。非若近日歐洲有學校有導師，俾學者循序漸進，不致誤入歧途也。兹應同人之請，將平日所心得者，述其梗概，倘世有同志，目爲識途老馬，未始非畫學萬一之助也。

嘗謂畫之爲物，乃人與物所由分。人之所以異於萬物者，以其能語言也，能文字也。凡語言之所不能及者，必藉文字以宣之。而未有文字之時，實則先已有畫。蓋文字始於象形。如科斗蟲篆，以及日月、山水、草木、面目、馬牛、象鳥諸篆文，無一非象形，即無一非畫。故不識文字之三尺童子，予以筆墨，未有不喜作畫者。推而至於世界各國，有文字俗鄙幾於不能成章，而國中之畫，蓋未嘗廢也。故觀一國文化之深淺，但視其美術之精麤，欲視其美術之精麤，先考其畫學之良窳，此不易之理也。中國畫學變革可分爲三時代：其一爲上古至漢，其二爲晋至元，其三爲明及今。試析論之。第一時代之畫，今日直無從見。所可見者，僅有銅器、玉器及碑石摹刻之文耳，然真確者亦極難得。思想當時之畫，摹形必極逼肖，設色必極渾古，即一人一物、一山一水，無不窮形盡相，惟妙惟肖，鑄鼎象物。及郭璞注《爾雅》所繪鳥獸、草木之圖，如周有堯舜桀紂之容，漢有雲臺功臣之像，以及河圖洛書、九州名山等圖。凡此諸畫，以意度之，精微幽雅，或遠遜晚近，而真肖渾樸，足以開後世畫學之源。蓋是時之畫，比之羅馬諸名家畫，庶幾仿佛，可資對照者也。

中古之時，風化漸開，畫學亦日進。自晉迄元，名畫之家歷歷有可數者。南北朝至隋四五十家，全唐三百八十餘家，五代時後梁十五家，後唐十五家，南唐三十一家，前蜀十五家，吴越二十七家。兩宋畫家，較全唐倍之。元代未及百載，已有四百餘家。從古迄今，我國畫學全盛之時，實在夫是。推原其故，蓋有三原因：一爲筆墨紙絹等物，日見精良，善事利器，從古然也。一爲在上者提倡之力，即君上亦極力研求。上有好者，下必有甚焉者也。一爲研究者有切磋琢磨之功。如唐宋畫院之設是也。當是之時，家數既多，門户亦別。出奇制勝，彼此争衡，功以磨勵而益精，學以競角而彌進。以言逼真，則誤筆作蠅，牛目童影，真之至矣。以言設色，則徐熙之没骨圖，趙昌之對花寫照，孫位畫水，張南本畫火，薛稷畫鶴，張僧繇之畫龍。藝術之精，可謂登峰造極矣。然人情恒厭故而喜新，物理至窮極則必反。故宋元間畫法雖稱神技，而濃艷之甚乃變爲淡雅，工緻之甚乃變爲超逸，卒不能使天下後世固守其成規，永永而不易者，非淡雅之必勝於濃麗，超逸之必勝於工緻，乃人情物理之變遷，雖畫中聖人，亦無如之何也。此則由工筆而變爲寫意，由第二時代變爲第三時代中之一大樞紐，學者不可不三致意焉。

有明一代，善畫之家更仆難數，而最足膾炙人口者，則王孟端、沈石田、文徵明、唐伯虎、董其昌、徐文長、李流芳諸人也。之數家者，皆名冠當時，而考其造詣，則實近於率爾操觚者。蓋非其畫之獨足以流傳也，乃其文字之長足，以補助而生色。觀其每作一幀，必額以耑家之字法，題以絶妙之詩詞。文字既冠絶一時，畫之名遂因而大著，此雖諸家相習成風，而開其端者，實宋元來蘇東坡、米元章、趙子昂、倪雲林輩也。

有明諸家，既以寫意之畫得名，當時雖有仇十洲、林良、吕紀、藍田叔、邊景昭輩，以工筆爲長，而傳播之盛、流派之長，卒在諸家下者，其故何哉？此易而彼難，此新而彼舊也。夫詩文之中，有以高古簡括勝者，有以芊麗精巧勝者，豈獨於畫不容有工筆、寫意之分，是不通之論也。然必謂高古簡括高出於芊麗精巧，摹寫大意高出於細筆求工，亦偏倚不公之論也。平心思之，工筆固未足以盡畫之全龍，而實足奉爲常軌。寫意雖亦畫之别派，而不足視爲正宗。能工筆者，學寫意而不難。專寫意者，求工筆則匪易。後人不察，動以寫意矜人，謂能尊崇高古，而畫之一道，遂失其堂堂正正之師。明代諸家，不得辭其咎也。

自明迄清，寫意與工筆二者，並駕而齊驅矣。然其所謂寫意者，既每況而愈下，所謂工筆者，亦似是而實非，皆失古人言畫之本旨也。古之畫者，以造化爲師，後世以畫爲師。師造化者，非真山真水、真人真物不畫；師畫則不然，剿襲摹仿，不察其是否確爲是山是水、是人是物也。畫之末流，至是極矣。

學畫有三要素：一考察天然之物品，二研究古人之成法，三試驗一己之心得。蓋非考察天然真物類，憑空臆造，如使南人畫駱駝，北人畫船艦，不特逼真未能，尚恐或至錯誤。然見是物矣，而不研究古人成法，徒目多費心力，而無能成功。如學文章者，知識字矣，然不於成文中求其程式，則無以組織成篇。能觀察物類矣，研究成法矣，若非以一己所得，創爲簡練而揣摩之，則徒拾人唾餘，終無推陳出新、獨出心裁之一日。抑余尤有進者，學畫者必先讀書，而畫人者則尤非真讀書人不可。蓋畫人必繪以衣冠，襯以物品，在在須恰稱其人之時代，偶有錯誤，笑柄隨之矣。

畫之種類，大別分下列三項。

（一）人物、仙佛、天真、歷史；（二）山水、樹石、宮室；（三）花鳥、走獸、草蟲、麟介、器具。大抵學人物、山水者，須兼學第三項各門。

畫學應注意之程序有四。

（一）原理；（二）布局；（三）用筆；（四）賦色。

能於四者盡力講求之，於此道思過半矣。

以上所論，聊就畫學要旨，及余平日所心得者，述其一二。至工筆、寫意之分，雖於有明諸家略有微詞，要非詆毀前輩也，實以畫學至寫意而已微，而世之作者，無論工與不工，動輒高言玄妙，幾視工筆爲不足學，深恐長此終古，貽誤匪鮮，而真能畫之人，必從而絶跡矣，豈不重可慨哉！

藕廬詩草

藕廬詩草

序一

生平最喜讀畫家華秋岳之《離垢集》、錢叔美之《松壺集》詩，謂其能擺脱塵俗，自抒胸臆，其幽峭靈秀，純乎化工之筆，不知幾經蘊蓄，始臻此境。蓋得於畫理者深也。金子北樓善畫有年，尤長於摹古，凡山水、人物、花卉、鳥獸，下筆輒工，動與古會，幾與秋岳、叔美争道馳矣。近且作爲歌詩，清麗爲宗，音節琅然可誦，一洗畫家不文之陋，而無時史塗抹之譏，天分、學力令人驚歎不已。涵泳既久，造詣愈深，于以權衡衆妙，開拓異境，不使畫筆獨勝，而卓然各自成家，盛名之副，豈偶然哉？ 丙寅初夏，長白寶熙識。

序二

歲壬子，單縣周子廙都督開府山左，縮轂南北，賓徒之會無虚日。余因識金子北樓於上座。見其作山水小幀，復用斯冰法爲楹帖，驚歎無已。惜匆匆爲别，不禁流連景慕者久之。丙辰春，來京師，與時士接，無弗譽北樓不去口。且盛稱東鄰人士不吝重金購其書畫，以爲袁簡齋歌詠沈南蘋者不逮是也。既聞北樓創立畫學研究會，聚都下聰秀子弟，助其博覽，召以時習，擇宏敞幽静之區，月三四萃，親加以指授，以爲之勗。其主旨在復宋元之舊規，以競歐美之新法，將於畫學開一特殊境地。昔王煙客、廉州，見石谷畫壁，相與獎勵而裁成之，因得鼎足長雄，亘三百年不祧。金北樓此會，衣鉢所授，薪火相傳，知必有十百石谷出乎其中，其收效當何如耶？十載以來，日親北樓言論丰采，卓然名貴，決其必工韻語，恒慫恿之，使自見。客冬，北樓始出藕廬題畫詩一冊見示，謂非爲君所料，固不肯遽以問世者也。竊憶近世錢氏叔美嘗有松壺題畫之作，吴縣潘文勤爲之印行，藝林寶貴。不揣固陋，敢就藕廬集中，擇其尤雅都百廿首，付之剞劂，俾見一鱗一爪，以饜世之知北樓者。顧余名位，遠不逮吴縣，不足爲北樓重，而尤惜不及與單縣共賞之也。丙寅四月，濟寧李汝謙謹譔。

遊意大利邦滭故城

劫運滄桑感昔年，頽垣敗壁認依然。萬家燈火今何在，荒草斜陽古道邊。

清歌一曲坐聽時，拾級層臺似半規。千五百人齊鼓掌，珠喉聲轉出簾遲。

井眉巨甕短牆遮，十字街頭賣酒家。想見胡姬招客飲，當壚亂插滿頭花。

黄泥作枕石爲床，如此門楣亦可傷。窟室當年長夜飲，巫山雲雨楚臺荒。

雕甍畫棟夾彤墀，鑿石渾疑鬼斧施。長使情天彌缺憾，崔巍首築愛神祠。

過瑞士勃靈址湖舟中即景

渺渺青波一鑑寬，四山積雪未全殘。獨憐海外春來晚，貪看湖光怯曉寒。

白蘋　垂柳

四月江鄉夏氣清，緑楊陰裏着棋坪。白蘋花發日當午，坐久時聞魚躍聲。

玉　簪

素女曾聞墮玉鈿，化爲瓊蕊自何年。昨宵重赴瑶池宴，簪向雲鬟分外妍。

刺　梅

葉翻亂點椒苔緑，花暈全欺蠟蕊黄。爲祝東皇須護惜，小園留與殿春芳。

白月季

曉艷昨沾仙掌露，晚風初試玉羅裳。東家姊妹休相妒，濃抹終應讓淡粧。

蠟　梅

一樣冷香縈鼻觀，衝寒雪裏吐奇葩。無端幻作東籬色，來向孤山處士家。

梅

歷盡山巔與水湄，年年辜負看花時。素箋寫出横斜影，可似簷前舊日枝？

百　合

孟蜀瑞花圖，老學菴曾記。守此百年心，自有合歡意。

題　畫

溪漲水流急，雨來山影微。春寒簾未捲，雙燕已先歸。

題仿沈石田杏花歸燕小幅

溪漲小橋平，雨餘山色青。捲簾待雙燕，春意滿空庭。

題　畫

鷓鴣啼不住，喚我惜餘春。曉色迷楊柳，風光老白蘋。樓遮山影淡，雨洗草痕新。準擬苕溪上，煙波了此身。

題　畫

東風忽報春消息，殘月羅浮夢乍醒。一夜幻成香雪海，推窗失卻曉峰青。

芙蓉楊柳

薄酒殘粧頰暈嬌，西風瘦損小蠻腰。不隨凡卉趨炎熱，相對寒江媚晚潮。

菊

黄菊滿庭除，西風爲管領。白衣人不來，斜陽淡秋影。

爲孟剛畫立幅

高人筑室山之阿，俯瞰江流恣幽賞。有時蕩舟發長嘯，夾岸松聲答清響。

題畫

叢篁媚幽澗，高柯如鶴立。雨過斷霞明，向晚泉聲急。

題畫端陽景

生香活色漫相誇，慚愧人稱老作家。且學青藤徐處士，端陽佳節畫蝦蟆。

仿雲林水竹居圖爲田焕庭作

疏竹三四竿，蕭蕭媚煙水。幽人隔林樾，鳴琴時一理。

佗江載酒圖

江浦陳粲園大兄以垂暮之年避地嶺表，與永嘉呂文起、順德辛仿蘇兩君日夕爲珠江之遊，命酒徵歌，流連侵曉。近著《問字樓詩》《睇海樓詩》，亡慮千數百篇，哀感頑豔，悲壯蒼凉，蓋各擅其勝，方之昌黎渡海、東坡投荒，殆無以過也。爲作是圖，摹寫海珠煙景，藉記當時遊蹤，未知能髣髴百一否。餘興未已，更賦一截。

倦眼南天沸戰塵，蠻花犵鳥總傷春，誰知明月清風裏，猶有佗江載酒人。

舟過金沙港

堤外西湖堤内池，小橋倒影碧琉璃。池荷開落無人問，風送蟬聲度柳枝。

秋山行旅

不辭鞍馬損朱顔，行盡千山與萬山。無限蟬聲無限路，秋風黄葉穆陵關。

仿董香光山居圖

桐花落盡雨疏疏，小屋浮煙入夏初。好是緑肥紅瘦裏，戲鴻堂上作真書。

仿大癡晴巒煖翠

暖翠濃欲滴，晴巒秀而野。山中不知時，葉緑辨春夏。潑墨興欲飛，吾亦大癡也。

峽江圖

倚天拔地萬山横，飛瀑奔雷振耳鳴。莫上山樓重回首，蠶叢一片蜀鵑聲。

層巒霽雨

世事年來百不聞，那知門外有塵氛。層巒雨後移家去，不買青山買白雲。

曉風殘月

花外曉風片片，柳邊殘月盈盈。閒把屯田詞句，歌出一聲兩聲。

漁浦晚晴

萬山圍着老漁村，道是秋痕是水痕。一抹晚烟明極浦，家家曬網正當門。

仙山圖

金銀世界雲爲家，鳳凰麒麟迴銀槎，萼緑仙人來九華。老鶴栖煙五百載，城郭依然人世改，不是桑田是滄海。游心八表金蕅廬，不問蓬萊事有無，抽毫寫作仙山圖。

仿雲林山水

一角空亭竹樹疎，年來點筆學倪迂。詩心也似雲林逸，灑向藤箋澹欲無。

題　畫

小鳥啁啾静不塵，一枝秋柳勝初春。年來怕作荒寒景，添個紅蕉當美人。

仿王右丞雪景

山意驚寒欲起稜，隔溪一白冷雨罾。開簾彷彿藍天曉，着個詩人王右丞。

題爲王叔震畫

山居雪後似僧寮，賸有梅花伴寂寥。昨夜忽傳春信至，暗香已渡澗西橋。

仿唐六如畫贈渡邊晨畝

怪石巉巖峙碧空，數椽茆屋傍巖東。秋深黄暈籬邊菊，霜重紅堆岸畔楓。斜日墮時山影淡，小橋横處磵流通。鄰翁攜榼來相訪，次第樽開明月中。

題　畫

溪山青山翠作堆，飛泉噴薄響春雷。詩人爲踐尋幽約，笑伴鄰翁策杖來。

題　畫

磵松青似沐，堤柳緑成圍。日落衆山暝，幽人猶未歸。

秋林圖

秋林路繞石橋斜，十里孤山處士家。別有閒情枯樹賦，我來原不爲梅花。

松鼠食筍扇

年來碩鼠也忘貪，玉版禪從悟後參。莫向此中問甘苦，嚼來還比蠟頭甜。

題　畫

雲山斷復連，秋葉紅間緑。一澗瀉寒泉，鏘鏘戛寒玉。

古木竹石

多年古樹隱岧嶢，彷彿幽人不可招。一曲寒流數竿竹，便無風雨也瀟瀟。

紅白芙蓉

木末芙蓉賦遠遊，批紅判白喜無儔。年來不泛苕溪棹，頗憶家山一角秋。

仿雲林六君子圖爲成竹山題

巖深水不冰，樹冷天欲雪。雲林彼何人，落筆高且潔。偶樵君子圖，詎敢論工拙。

願保歲寒心，與君貞晚節。

畫竹

相逢歲暮無他事，卻寫修篁三兩竿。宜雨宜風都不問，祝君日日報平安。

爲翰怡表弟仿張二水長幅

平波渺渺接遥嵐，瘦石長林一鏡涵。黄葉滿船收釣去，載將秋色過江南。

題爲張石銘畫小幀

一峯陰間一峯晴，繞屋溪流濊濊鳴。何日掃除塵事了，也來亭下聽松聲。

仿張子羽畫扇

獨寄逍遥世外心，緑陰深處好眠琴。昨宵新與鄰翁約，來聽空山太古音。

空谷求音

橋下淙淙碎玉鳴，午凉空谷緑陰聲。鄰翁來聽松風曲，不辨琴聲是水聲。

題畫扇

小亭臨峭壁，幽境絶塵氛。落日松風起，四山浮白雲。

仿李宗成大幅

一峯秋色與天齊，遠遠孤村隱隱溪。十載相逢容話舊，不知樓外夕陽西。

畫扇贈狄楚青

新蒲瑟瑟水潺潺，垂柳陰濃覆釣船。鸜鵒數聲山月曉，隔湖雲氣白于棉。

遊退谷今爲周養庵别業，在卧佛寺西溝

古寺西來松柏香，言尋退谷舊書堂。山花競雨飄金粉，野竹淩風戛翠璫。茶熟幾回吟蟹眼，草生一徑繞羊腸。輞川别有詩中畫，分得餘輝到硯旁。

秋林策杖圖爲張石銘畫

紅樹青山自在行，田園歸後有餘情。鼇魚橋下休相訝，未改當年杖屨聲。

紫月季扇贈袁親翁

苕上君家與我家，幾年南北各天涯。故園何日同杯酒，月月相逢似此花。

爲李思本畫扇

風荷絲柳藕香居，萬頃晴烟畫不如。今日重經湖山路，亂鴉零落夕陽餘。

梅　花

搗叔畫梅蒼而古，篆籀不足以隸補。我畫不欲前人伍，解衣磅礴氣如虎擲筆千花萬花舞。香雪海中我爲主，老搗遇之應首俯。

聽松圖

雙扉鎮日掩蓬蒿，差喜山居遠市囂。酒力漸微茶正熟，小牕欹枕聽松濤。

題美人抱鏡圖

妾有菱花鏡，背鑄雙鴛鴦。與郎離别後，不敢理晨粧。
玉臺勤拂拭，經歲又經年。欲待郎歸日，雙雙照竝肩。

精金百鍊寒，上有淚痕漬。抱當妾胸前，照見心中事。妾心比明鏡，又如止水井。任郎四面觀，面面印郎影。

爲渡邊晨畝題荒木十畝畫蘭橫幅

滋蘭昔九畹，墨華今十畝。長葉走龍蛇，嫩蕊寫蝌蚪。翰墨結同心，證盟來石友。想見揮灑時，霹靂不停手。書法參畫法，吾鄉有老缶。荒木藝事精，異地真堪偶。嗟我乏師承，塗抹老户牖。

爲岱杉訪柯丹丘畫竹

直節難隨俗，虚心不染塵。歲寒誰共守，時許一相親。

荷亭消夏

荷花成世界，向晚水亭開。静趣茶中得，清風池上回。波光容燕掠，暑氣有蟬催。此地堪消夏，披襟待月來。

題姚虞琴畫蘭

碧玉丰神絶世姿，臨風長袖舞遲遲。生綃妙寫騷人意，莫待香銷花落時。

題　畫

木葉落兮水層波，小亭臨江秋氣多。白雲遮斷前山影，瀟湘帝子今如何。

爲張脩甫畫扇

振耳長松響落紅，上方隱隱白雲封。欲從畫裏探遊跡，此是靈巖第幾峰。

即席和田邊碧堂原韻

清歌嚦嚦舞珊珊，止水心情亦起瀾。願乞群花作屏幛，不知簾外有春寒。

紅葉館即席和田邊碧堂元韻

蓬瀛盡是謫仙才，紅葉清樽爲我開。十萬珠璣收滿篋，此身真不負東來。

觀華嚴瀑和小室翠雲韻

隔歲重逢無限情，看山讀畫有餘清。五千里外三遊客，來聽華嚴瀑布聲。

觀華嚴瀑和師曾韻

華嚴瀑在亂雲間，差喜浮生半日閑。靜聽溪聲如說偈，廣長慧舌妙相關。

聞道華嚴世所希，遠來瀛海一探奇。飛流濺沫騰雲霧，疑是蛟龍起蟄時。

題畫再和師曾韻

飽飯安眠日日閒，静聽簷雀噪枝間。客來迎送渾忘卻，雖設柴門嬾不關。

偕小室翠雲結城琢堂同遊晃山東照宫

德川威烈舊開藩，樓閣崔嵬今尚存。一雨亂紅歸御澗，萬松寒翠擁唐門。祠官迎客衣冠古，野店連情笑語温，遮莫躋攀探勝蹟，神宫畫壁手親捫。

將之北京留别東京諸友

飄聚萍蹤亦宿緣，雲霞三島小遊仙。青山青山町入座琉璃鏡，紅葉紅葉館徵歌玳瑁筵。此會暫教留絮語，再來應爲惜華顛。歸裝穩載琳琅去，不數襄陽書畫船。

爲旅館主人題畫册

臨水軒窗四面開，泉聲終日響奔雷。山深寂寂無人跡，秋雨秋風長紫苔。

遊奈良

三笠山前春日社，兩行松柏欲穿雲。遊人乘興尋歸路，暮色蒼蒼麋鹿羣。

爲小田切萬壽之助畫扶桑旭日圖

萬里晴霞射海紅，扶桑曉日影曈曈。與君回首天低處，一髮中原在眼中。

倪雲林江南春二篇文徵仲補圖小卷藏螺江陳太保處

辛酉春莫假撫一本並追和原韻

連山風味香初筍，一帶緑陰鶯燕静。泥人最是好春天，六朝金粉如駒影。社酒征衣寒食冷，行人豔説燕脂井。十三樓外最沾巾，多少繁華付劫塵。

春烟深，春水急，兩岸桃花紅欲濕。百五風光時已及，際天煙柳傷心碧。我憶鷗鄉亦於邑，橅作新圖張素壁。前朝王氣隨流萍，春色迷離白下營。

米家山水

白雲本是無心物，我更無心畫白雲。一着筆痕非跡象，卻從空處見氤氲。

題松溪漁隱圖

一臥滄江鬢已斑，海天莽莽等閒看。老人別具經綸手，獨向松陰理釣竿。

爲梅畹華畫牽牛花扇

曾泛靈槎遍十洲，歸裝何物壓扁舟。堦頭一片支機石，卻伴牽牛媚素秋。

爲高生新泉畫豆花扇

草堂西角斷虹明，雨歇堦除無限清。數筆倪迂纔學罷，豆花棚下覓秋聲。

秋　情

蟾心的的印蒼苔，茗椀鑪香鎮夜陪。一段秋情描不得，蟲聲和月入簾來。

薔薇黃鸝

宛宛清和四月時，薔薇照水弄新姿。黃鸝百囀無人解，惆悵春風過別枝。

秋山紅樹

秋山豔如裝，畫禪參妙諦。霜葉未辭枝，色比春花麗。怪石何嶙峋，更值雨初霽。

白雲積山腹，風來時摇曳。恍疑姑射仙，翩躚舞皓袂。

芍藥一枝贈及門馬生雲湖

宿露朝酣意不勝，聊將傳畫當傳燈。花之寺裏羅行者，衣鉢親承粥飯僧。

爲張乾若畫朱菊

時向南山策短筇，好斟菊酒酌從容。從今學得丹砂訣，長駐朱顔伴赤松。

題畫贈穆藕初

遠山隱隱帶晴沙，天末秋雲接暝鴉。徙倚長橋看不盡，一痕淡月上蘆花。

峽　江

斷峽森森欲插天，隔江老樹曉籠煙。布帆十丈秋風穩，黄葉無聲落滿船。

爲荀慧生畫白牡丹

國色天香絶妙才，梨園菊部盡輿臺。沉香亭北春風裏，曾記霓裳按拍來。
曾將姿態比環肥，傾國名花並世希。一自謫仙題詠後，拈酸從此到梅妃。

一枝清豔想丰標，羣玉山頭雪未消。更儗猩紅添數點，芳名題作女兒嬌。唐六如

《女兒嬌圖》爲正白牡丹中起紅樓子數瓣。

秋海棠

秋入園林氣漸凉，渚蓮墮粉碧梧黄。西風也解催花信，吹得輕紅上海棠。

梅竹

幾竿修竹幾枝梅，凉月娟娟印緑苔。清影無人留畫本，夜深移上紙窗來。

柳絮

山店春陰酒力微，白花如雪點漁磯。尋常一様荒寒景，卻有雙雙紫燕飛。

紫藤

夭矯青藤覆緑池，迎風紫玉舞參差。山蜂不忍春狼藉，抱得飛花過短籬。

題畫

蕭籥木葉微脱，漠漠寒烟欲生。瘦石盡含秋意，横雲半遏泉聲。

雨中看桃花

春陰漠漠擁山家，山影微茫一半遮。幾處紅雲濃欲滴，短笻扶雨看桃花。

題畫屏爲衡甫款壽

烏兔東西任轉丸，駐顔元不藉金丹。老夫自得山居樂，修竹長松共歲寒。

尋梅圖

昨宵春信到寒梅，無數瓊英照水隈。一路看花花不斷，緩拖藤杖過溪來。

仿倪雲林水竹居

一片清光隔塵壒，四時爽籟落庭除。地偏心遠誰能到，合是倪迂水竹居。

紫玉簪

太湖石畔雕欄曲，小庭一雨生濃緑。金雀珠蘭未入時，寶髻輕盈簪紫玉。

秋山行旅

淺碧殷紅霜葉新，曉山如畫絶纖塵。勞勞行客知無數，領略秋容有幾人。

鵝

緑水暈圓波，清漪看浴鵝。黄庭初寫就，欲换意如何？

題　畫

山骨嶙峋秋可憐，延秋亭外水如烟。隨風黄葉蕭蕭下，卻似飛花落舞筵。

梅　花

尋梅幾度踏蒼苔，空費詩人擊鉢催。昨夜春風來硯北，墨華萬樹一齊開。

柳陰鸝語

細用連朝漲小溪，柳烟漠漠草萋萋。黄鸝也惜存將去，時向落紅深處啼。

題　畫

載酒尋春到碧溪，濃花弱柳望中迷。紅樓一角珠簾捲，知有人家住水西。

菊花墨竹贈齊白石

贈君黄金珮，佐以青琅玕。君應識此意，相期保歲寒。

歲朝圖

年果唐花色色殊，松清梅瘦水仙癯。屠蘇飲罷桃符換，自寫春盤獻歲圖。

三秋圖

秋到東籬處士家，金英紅葉勝春花。小山一樹更幽絶，冷月横空帶露華。

玉蜀黍　番瓜

蜀黍侔黄玉，番瓜勝紫霞。一般秋氣味，偏在野人家。

仿吴仲圭畫

古木森森山萬疊，筆端元氣墨淋漓。巨師衣鉢誰傳得，除卻梅花未易知。

山茶水仙

前身合是許飛瓊，羅襪凌波步步輕。昨夜瑶池春宴罷，歸來攜得董雙成。

白芍藥

皎潔渾如白玉盤，露凝煙鎖尚餘寒。揚州不數紅千葉，獨向花之寺裏看。

題　畫

祕殿朱楹接九成，高梧百尺綠陰生。秋深輦路無人迹，隔浦微聞漁笛聲。

題汪慎生畫梅鴨

江邊忽見一枝斜，睡鴨溶溶便作家。春意已傳清淺水，不須竹外見桃花。

慈姑花

小草顔如鶴頂紅，慈姑花發琴成叢。水邊澗曲無人問，却費晴窗點染工。

題山水

湖光山色兩悠悠，嫩柳垂條綠尚柔。掠水一雙新燕子，争啣花片不知愁。

薔　薇

淡淡燕支暈玉顋，五銖衣薄舞徘徊。牆頭笑靨時時露，料是偷窺宋玉來。

題　畫

荷葉當門水浸堦，田居無事自安排。斜陽欲墮凉風起，到耳笙歌兩部蛙。

畫鷹

獵獵西風日欲斜，草間狐兔正紛拏。忍饑戢翼高枝上，不爲旁人作爪牙。

黄薔薇

淺額約宫黄，清肌染暗香。緑雲裁作帔，應是内家粧。

鳳仙花

茜窗睡起試秋風，細擷幽芳到露叢。搗作麝泥曾不情，一痕染得指尖紅。

贈大倉壽星

九洲三島任勾留，萬里雲山頃刻遊。報導老人星過也，天風吹到海東頭。

雪中鴉

雪壓宫牆冷畫橋，昏鴉接翅影蕭蕭。劇憐太液池邊柳，閲盡興亡又一朝。

牡丹 一品朱衣

恩逮東皇舊賜緋，春寒猶襯五銖衣。記曾夜值通明殿，惹得天香滿袖歸。

梧桐紫薇

月明可有美人來，酒醒秋心暗費猜。清影滿階凉露滴，碧梧如蓋紫薇開。

牧童放風筝

散牧村童放紙鳶，倒騎牛背穩于船。莫看骨相輕如此，偶借春風便上天。

紫　菊

年年顔色養丹砂，開遍淵明處士家。彷彿老僧沉醉後，酒痕吹上紫袈裟。

鷹

英雄老去倦飛鳴，也欲逃禪學放生。睥睨中原三萬里，任他狐兔日横行。

葡　萄

西來猶是舊山河，如聽蒲梢天馬歌。一自漢家封徼盡，葡萄美酒也無多。

菊　泉

聞説飲菊泉，下壽猶八十。或笑老人愚，愚亦不可及。

江南春

東風萬里初到，遠客西遊未還。孤負杏花時節，江南江北青山。

水仙

湖上水仙王，琴裹水仙操。領略净明心，心清香亦妙。

題畫

山亭亦何幽，上有神仙迹。飄飄幾詩人，摇月蕩空碧。短笛一聲希，茫茫秋水白。

題畫

遠上秋山石磴平，松陰雨過緑苔生。草堂知有高人弈，隔徑先聞落子聲。

玉泉山塔

玉泉山麓獨徘徊，廢塔頽然卧劫灰。墟里煙生天欲暝，萬鴉聲擁早秋來。

題畫

平林秋入畫圖中，霜葉吴江夾岸楓。日暮寒鴉啼更急，西風如剪墮殘紅。

題　畫

寒鴉成陣噪西風，淺水蘆花夕照中。楓冷吴江秋更好，半林霜葉比花紅。

題徐石雪竹石卷

吴興字體湖州畫，二妙誰能一手兼。我愛幼文真健者，興來雙管落湘縑。

又題石雪竹石卷

畫竹能爲鐵鉤鎖，作書並擅金錯刀。處士風流誰識得，滿窗晴日試霜豪。

題陳明明女士畫册

白蓮秀絶清於麗，異草奇花筆底收。驅使雲烟成墨戲，君家畫祖是南樓。

題　畫

一溪野荻曉含煙，響瀨聲中放小船。幽谷深深遲日影，無邊嵐翠欲黏天。

西洋黄水仙

轡弟梅兄費品量，凌波照影影生香。仙家粧束原無定，服着深黄襯淡黄。

江樓遠眺

江樓高處看揚舲，來往千帆日日經。楊柳不知離別苦，春來又作去年青。

紫綀鳥

積雨經旬花事稀，鳳城春老緑初肥。飛來雛練飄長綬，未向東風换雪衣。

題　畫

古寺晴嵐策蹇尋，寺門静掩白雲深。山風斷續隨溪轉，隱隱時傳清磬音。

題　畫

危塔峙終古，江聲日夜流。征帆何逐逐，閒煞幾沙鷗。

湖山春泛

春色湖濱似畫屏，緋桃低襯數峯青。琴書共載聽鸝去，先我鄰翁在水亭。

觀瀑有感

吼聲日夜走蛟鼉，濺沫飛流一刹過。漫向此中問清濁，出山總比在山多。

爲沈丈硯裔畫扇

石泉雨後添吟興，林葉霜餘鬥醉顔。不盡秋聲與秋色，耐人尋味是空山。

荷亭涼夏

飛瀑奔騰響壑雷，晚涼留客水亭開。不須更泛耶溪棹，陣陣荷香撲面來。

題　畫

修瀑如飛龍，蜿蜒下百仞。吐沫欲騰雲，草木皆含潤。

仿趙文敏大幅

野境開圖畫，田家樂意融。夕陽歸鳥外，山色晚霞中。黄綻籬東菊，紅添屋角楓。時還約鄰叟，酌酒話年豐。

山　鵲

野人淡世情，山鵲徒報喜。何不學雙燕，飛向朱門裏。

秋林古寺

雨後秋山絶點塵，長松如幄草如茵。半頽古刹借何處，斜日金光射佛身。

題　畫

萬竿修竹護吾廬，秋興山中樂有餘。濃緑滿窗紅滿樹，白雲伴我讀奇書。

松陰待月

解衣長嘯積陰開，竹裏無人共鬥杯。向晚流雲吐華月，送將松影上亭來。

松　月

素心松月與相期，月有清光松節奇。松耐歲寒增晚翠，月虧屈指見圓時。

松　泉

畫水聽無聲，畫松不着色。參澈墨華禪，動静皆自得。

平岡古木圖依蔡天啟韻

秋水拖藍接遠天，平岡渡雁破寒烟。畫成動我南歸興，何日扁舟擁被眠。

旅齋聞雁感秋思，畫作新圖更綴詩。卻憶望湖樓下泊，黑雲翻墨雨來時。

題　畫

何年古刹露朱甍，路轉溪橋石磴平。謖謖松風雲滿谷，一峯含雨一峯晴。

除夕畫喜上眉梢圖

比户依然炮竹聲，桃符又見一年更。畫成自擬椒花頌，梅放南枝鵲噪晴。

又爲仲暄題一首

鐵骨冰姿寫未真，清流照影悟前身。枝頭添得雙靈鵲，付與梅花作喜神。

題　畫

趁集歸來日未斜，樹陰小憩綠交加。鄰翁偶值添清興，笑指前灣有酒家。

大庾春訊

棹舟逕過小橋西，石壁梅花半瞰溪。花落便隨流水去，不教踏碎作香泥。

五老秋風

葉落半林朱，峯看五老癯。秋風何處入，還欲問方壺。

雪景山水

陡覺寒威一夜生，瓊瑶世界更崚峥。紙窗生白猶高卧，静聽松梢墜雪聲。

安步圖

葉落滿平蕪，尋秋興不孤。自知安步樂，何用倩人扶。

霜林二首

一夜滿林紅，人疑奪化工。漫誇顔色好，只是不禁風。

水國蕭蕭兩岸楓，欲將顔色鬥春紅。休誇能奪天工巧，結子成陰未許同。

睡　起

香消煙篆在雲屏，簷鐵聲催午夢醒。濃睡不知山雨過，排窗雲擁萬峰青。

草　堂

草堂一角露岩隈，有客憑欄獨舉杯。細雨如煙山影活，春風吹得小桃開。

關山雪霽

匹馬渡桑乾，關山路萬盤。朔風吹凍雪，如剪撲征鞍。

春　遊

不問山家與水亭，尋春隨處一留停。空林積雨朝猶濕，列岫含烟遠更青。葉底幽禽調素羽，田頭響水入遥汀。静觀物理皆天趣，放眼浮雲一挈瓶。

山坡羊

紫翠溟濛接遠空，雙峰兀立夕陽中。桃花如錦群羊白，粧點山坡細草叢。

寫江南春小景

老屋柴門曲澗東，脩篁影裏小橋通。漫山紅紫禽聲碎，春色江南擬惠崇。

江行

秋江如畫布帆輕，欹枕蓬窗緩緩行。風飽舟移人不覺，蘆花深處起鵁鶄。

秋林

霜後山如錦繡裁，石梁飛瀑轉輕雷。泉聲亦自含秋意，挾着蕭蕭落葉來。

松亭觀瀑

巖深蔽朝旭，溪亭潤如沃。怪底眼逾青，滿身松影緑。

題畫

老樹含秋色，寒流漲小溪。鄰翁偶相值，話到夕陽西。

葦中漁笛

葦中短笛少知音，應許潛蛟契素心。吹到天青江水碧，蒼松皆作老龍吟。

雄雞

引吭長鳴興正酣，驚回好夢味醰醰。雄聲催我披衣舞，玄語憑渠隔牖談。漏報珠宮冠側絳,月沉茅店色拖藍。早知世事皆如肋,棄置隨人莫自慙。

荷亭

留客小亭中,清池竹徑通。虚窗開四面,面面受荷風。

秋山紅樹

西子湖邊弄晚秋,微風淡日蕩輕舟。孤山聳出西施髻,紅葉如花插滿頭。

楓江漁父

尋秋隨意泛輕舠,潮落波平山翠高。楓影入江成水繪,游魚潑刺躍銀刀。

金魚

柳絲不動水紋平,幾隊金麟掉尾行。解得有魚知我樂,何須觀物太分明。

丁香花

穠李夭桃都謝了,柔香小朵發奇芬。詩成應被迦陵妒,滿院春風擁紫雲。

荷静納凉

小亭池上好，竹裏净無塵。留客煎茶釅，呼童汲水新。蘋開峰倒影，廊轉月隨人。向晚荷香發，臨風理釣綸。

題姜筠生畫

紅樹青山畫裏行，白雲如絮擁江城。漁人不避笭箵雨，潮落猶聞撒網聲。

鸚 鵒

鸚鵒人誇慧舌通，多因巧語入金籠。藏身何取摶鳳翼，自在飛鳴灌莽中。

題 畫

小築平岡如許清，歸來端欲傲淵明。繞廬淺草芊芊緑，隔塢晴雲細細生。偶飲正宜嘗竹葉，高歌餘響答松聲。幽居不厭無儔侶，排闥青山若弟兄。

題仿倪雲林畫

繞廬水竹絶塵侵，夜坐方知畫理深。香篆漸消清漏静，一窗明月寫雲林。

于海亭相從有年凡余手治諸印及印旁題識一經摹拓朱墨燦然固印人傳中別子也適有延安之役客中清寂作圖貽之嘉其好事媵以四詩

丁蔣奚黄浙派開，印林今日慨波頽。别裁僞體皈初祖，片片于生手搨來。
紅泥鮮稱墨華滋，蟬翼螺紋事事宜。鐙底更將僮約補，檢書攤畫界烏絲。
湖山清遠説家鄉，烏帽黄塵願未償。印上齋堂曾有例，戲摹小影據胡牀。
潭中雁影雪中鴻，墨汁因緣許爾同。寫入横看翻一喟，年來我亦厭雕蟲。

藝　文　叢　刊

第　六　輯

093	衍　極	〔元〕	鄭　杓
		〔元〕	劉有定
094	醉古堂劍掃	〔明〕	陸紹珩
095	獨鹿山房詩稿	〔清〕	馮　銓
096	四王畫論（上）	〔清〕	王時敏
			王　鑑
			王　翬
			王原祁
097	四王畫論（下）	〔清〕	王時敏
			王　鑑
			王　翬
			王原祁
098	湛園題跋　湛園札記	〔清〕	姜宸英
099	書法正宗	〔清〕	蔣　和
100	庚子秋詞	〔清〕	王鵬運
101	三虞堂書畫目	〔清〕	完顏景賢
	麓雲樓書畫記略	〔清〕	汪士元
102	清道人題跋	〔清〕	李瑞清
	願夏廬題跋		胡小石
103	**畫學講義**		**金紹城**
104	寒柯堂宋詩集聯		余紹宋